La vie religieuse

Une nouvelle vision

BARBARA FIAND

La vie religieuse
Une nouvelle vision

Traduction de Maurice Desjardins
Révision de Pierre Robert

BELLARMIN

Données de catalogage avant publication (Canada)

La vie religieuse — Une nouvelle vision
Traduction de: Living the vision.
Comprend des réf. bibliogr.

ISBN 2-89007-745-4

1. Vœux.
2. Vie religieuse et monastique.
3. Monachisme et ordres religieux.
I. Titre

BX2435.F4814   1993   248.8'94   C93-096017-3

© Les Éditions Bellarmin
Dépôt légal: troisième trimestre 1993,
Bibliothèque nationale du Québec.

Les Éditions Bellarmin bénéficient de l'appui du Conseil des Arts du Canada
et du ministère des Affaires culturelles du Québec.

Avant-propos

On raconte que Sigmund Freud, passant devant un grand miroir, tira son chapeau en voyant son image et fut tout surpris de se reconnaître dans l'étranger qu'il venait de saluer. J'ai fait une expérience semblable il n'y a pas si longtemps alors que je donnais un atelier dans une vieille demeure vénérable que son ancien propriétaire avait abondamment garnie de miroirs. Je ne cessais de me surprendre d'un coup d'œil furtif, faisant intrusion dans ma propre vie privée.

C'est un étrange caprice de la conscience humaine de soi que de se percevoir sans se reconnaître sur le champ, de se voir sans immédiatement le savoir. Le fait que nous soyons ordinairement mal à l'aise quand cela arrive, donne à penser que la chose nous étonne malgré tout, c'est-à-dire que nous nous attendions en réalité à une meilleure conscience de soi, à une présence plus claire à soi-même. Peut-être commençons-nous à soupçonner que quelque chose n'est pas encore harmonisé dans la vision de ce que nous sommes. Peut-être aussi que cette perception plutôt extrovertie nous rappelle cette conscience de soi intérieure beaucoup plus complexe, cette intuition en profondeur à laquelle nous sommes tous appelés, à laquelle pourtant nous manquons tous à des degrés divers.

Donner une sérieuse considération à cette plongée en profondeur est chose douloureuse qu'on aimerait plutôt éviter. Comment se fait-il que «nous ayons des yeux mais ne voyons pas», du moins pas autant que nous le pourrions? Une des raisons ne serait-elle pas que plusieurs d'entre nous passions trop de temps et d'énergie à réagir et à répondre à la réalité périphérique, qu'elle soit extérieure ou intérieure, et qu'ainsi, sans le savoir souvent et avec les meilleures intentions du monde, nous perdions de vue ce qui compte vraiment? Un mystique nous avertit que «Dieu est le centre du cercle pour ceux et celles qui osent l'embrasser. Pour ceux et celles qui se tiennent seulement dans la crainte, il n'est que la périphérie du cercle[1].» Avons-nous une telle crainte que nous oublions de plonger en plein centre?

Le titre de ce livre a évolué au cours d'années passées, dans mon cas comme dans le cas de tant d'autres en vie religieuse, à réécrire nos constitutions, à reformuler des programmes de gouvernement et des politiques communautaires, en d'autres termes, à *nous regarder*. Comme d'autres durant ces années, je ne pouvais m'empêcher de m'interrroger sur le sens de tout cela, même en y participant activement. Je nous ai vu dépenser beaucoup d'énergie à nous réunir, à planifier, à débattre pendant des heures. J'ai vu les documents qui sont issus de ces réunions. Ils furent lus, puis gentiment rangés dans un tiroir ou sur une tablette, alors que nous continuions à discuter, à débattre, à écrire d'autres documents. J'ai trouvé l'expérience intéressante, utile pour apprendre l'art d'organiser et de diriger. Je ne pouvais m'empêcher de me demander toutefois si, en nous *regardant* nous-mêmes, nous *voyions* vraiment; si, en attendant tant de réponses aux questions que nous nous posions sur nous-mêmes, nous nous questionnions vraiment; si nous ne nous tenions pas

---

1. Frederick FRANCK, *Messenger of the Heart* (Messager du cœur), New York, Crossroad, 1976, p. 53.

dans la crainte sur le rebord de notre vie communautaire et ne perdions pas notre désir d'une vision plus profonde, notre quête du centre. Dans nos échanges, je ne pouvais m'empêcher d'entendre des questions que personne (moi comprise) ne posait tout haut; de ressentir un souci vis-à-vis de problèmes que personne ne soulevait; d'éprouver une faim qu'aucune de nos réunions ni aucun de nos documents ne semblaient satisfaire. Et je ne pouvais m'empêcher de penser que je n'étais pas la seule dans ce cas. Si bien que j'ai décidé de sonder et d'écrire en allant dans le sens d'une *vision*.

L'écriture est parfois plus facile que la parole, surtout pour une introvertie. On entre dans la tranquillité de son moi et, là, on laisse tout ce qu'on a vu et entendu circuler librement, danser dans le fond de son cœur jusqu'à ce que la mise au point se fasse et que l'éclair se produise. La souffrance, mais aussi l'exaltation de l'écriture se trouvent dans l'attente, se trouvent à laisser la danse être danse et le jeu, jeu, sans forcer le processus. Ce type d'écriture est tout le contraire du Code de procédures qui régit tant de nos discussions, de nos sessions, de nos chapitres. Ainsi est-il libérateur. Il laisse exister la question sans se préoccuper de majorité simple ou absolue. Évidemment, par le fait même, il n'apporte pas beaucoup de directives, de solutions définitives, de réponses arrêtées. Ce type d'écriture laisse plutôt les questions se prolonger en d'autres questions plus profondes et reconnaît la lumière dans ce qui semble ténèbres. Il respecte le processus d'émergence. La vision qui rend témoignage de cette émergence est comme l'expérience de l'enfant devant un lever de soleil: remplie d'étonnement et de prière.

Je ne sais combien de fois, en écrivant ces pages, quelque chose de tout différent de ce que je prévoyais est apparu sur le papier. Peut-être qu'une expérience semblable sera donnée au lecteur. Il se peut que ce que vous pensez trouver en ces pages (et

9

même ce que je voudrais que vous y trouviez) n'y soit pas. Je prie pour que vous n'y mettiez pas obstacle et qu'ainsi vous avanciez sur des chemins plus prometteurs; je prie pour que vous trouviez dans ces réflexions ce qui se présente à *vous*, pour que vous viviez avec *cela* même, et peut-être, quand l'occasion viendra, que vous partagiez justement *cela* avec votre communauté.

J'espère que ce livre sera signifiant pour des religieux de tous les groupes d'âge, et tant pour les hommes que pour les femmes. Il comporte toutefois certaines pages plus difficiles qui, pour la plupart des lecteurs, se trouveront sans doute dès le début. Comme tous les modes de vie consciente sont influencés par la culture dans laquelle ils fleurissent, j'ai commencé ce livre par une réflexion sur ce «temps de changement» dans lequel nous vivons nos vœux. Nous sommes dans un temps où les paradigmes culturels s'effrondent, où la vision dualiste du monde, qui nous a si bien servis pendant des siècles en apportant non seulement le progrès et la prospérité mais aussi la spiritualité qui les supportait, a épuisé ses virtualités et nous fait signe par son déclin même d'aller au-delà et de chercher une façon de voir plus profonde, plus authentique. Une explication de ce dualisme, de son origine et de son influence, comme de la spiritualité qu'il a engendrée, sera de lecture plutôt difficile. J'aurais aimé en conséquence inviter le lecteur à passer outre à ces considérations préliminaires et à chercher de plus verts pâturages vers la fin du chapitre premier, qui présente la spiritualité holistique. Le problème toutefois n'est pas si simple. La spiritualité holistique comme base pour vivre nos vœux aujourd'hui ne peut être appréciée qu'en relation avec le dualisme dans lequel la plupart d'entre nous furent formés. La comparaison entre les spiritualités dualiste et holistique, entre leur origine et leur message, est donc nécessaire pour apporter des fondations signifiantes au reste du volume.

10

Le deuxième chapitre tente de démontrer la nécessité de ce passage en explorant les implications d'une perspective holistique sur la façon dont religieux et religieuses se comprennent. Il se concentre particulièrement sur les problèmes de ministère, d'appartenance et de gouvernement, et montre comment notre façon de voir change lorsque nous nous regardons comme une «société d'égaux», comme les membres de la *basileia* du Christ. Il met l'accent sur la primauté des dispositions intérieures dans la façon de vivre les vœux et nous éloigne de la recherche d'un programme ou d'un guide à l'abri de toute erreur. Il vise à nous ouvrir aux réalités plus profondes qui nous font passer de la «périphérie» au «centre» de nos vies, de la volonté de pouvoir et de contrôle à l'abandon.

Les trois chapitres suivant traitent des vœux dans l'ordre connu de notre profession: pauvreté, célibat consacré, obéissance. Dans chaque cas, j'ai d'abord tenté de considérer le vœu dans le contexte du paradigme holistique présenté dans les deux premiers chapitres. Suivent quelques réflexions sur les problèmes pratiques rencontrés dans les situations de l'existence courante. Ce qui est présenté ici entend demeurer ouvert. Je ne prétends pas avoir le dernier mot sur toutes les questions soulevées. Ce serait d'ailleurs trahir l'objectif principal de ces réflexions, à savoir identifier la vie religieuse en particulier et la vie du chrétien convaincu en général à un processus en spirale livrant une vision en expansion constante et une entrée toujours plus profonde en Dieu. Dans cette genèse, personne ne se présente comme un prophète solitaire ou comme un sage de premier plan. Communautaires, nos saisies doivent être partagées et orientées vers une vision plus profonde de l'ensemble. Les questions qui se trouvent à la fin de chaque chapitre visent à favoriser cet échange. Leur but est de prolonger la réflexion entamée par la lecture du chapitre et d'accroître l'implication du lecteur dans la vision elle-même.

Le livre s'achève par quelques considérations sur l'appartenance. Je les dois en grande partie aux femmes et aux hommes des diverses communautés religieuses qui ont participé au Programme d'études en spiritualité de l'archidiocèse de Cincinnati. Je les ai rencontrés dans les premières années de leur discernement et j'ai beaucoup appris d'eux. Leurs espoirs et leurs rêves, leur désir de servir et le sérieux de leur engagement m'ont édifiée. J'ai appris à les aimer, à les respecter, à leur faire confiance. Ils m'ont donné de l'espoir dans l'avenir de la vie religieuse, mais leurs idées et leurs remarques m'ont aussi laissée avec des interrogations. Le dernier chapitre aborde ces deux aspects.

Le livre traite manifestement de la vie consacrée des religieux et des religieuses. Pourtant, il ne leur est pas exclusivement destiné. Ce Corps qui est le Christ a plusieurs membres et, comme Paul nous le rappelle (*1 Co* 12,12-27), chaque membre a besoin de l'autre. La vie retirée des religieux a pu dans le passé donner l'impression à leurs sœurs et frères chrétiens qu'ils vivaient leur relation à Dieu à l'écart du reste de la communauté chrétienne. Si jamais cela a été vrai, ce ne peut l'être encore. Tout comme des religieux au cours des dernières années se sont trouvés impliqués dans un ministère avec des couples mariés et ont ainsi dû apprendre des choses sur le mariage consacré, de même, me semble-t-il, des personnes mariées et célibataires sont appelées à connaître, aider et soutenir leurs frères et sœurs dans la vie religieuse. Notre appel consiste à servir Dieu de diverses manières selon nos dons respectifs, et toujours en vue de l'unité du corps. À cette fin, interdépendance et soutien réciproque sont essentiels. La gloire et la fragilité de la vie religieuse sont présentées en ces pages, appelant ainsi la prière de la communauté. «Un membre souffre-t-il? Tous les membres souffrent avec lui. Un membre est-il à l'honneur? Tous les membres se réjouissent avec lui.» (*1 Co* 12,26)

Plusieurs personnes m'on aidée et encouragée dans la rédaction de ce livre et je désire maintenant les remercier. Cette gratitude s'adresse d'abord à ma communauté qui m'a encouragée à danser dans mon cœur, à jouer avec mes pensées, afin de mettre en forme le document S.N.D.* sur la vie consacrée que j'avais écrit il y a quelques années. Merci également à mes sœurs d'Ipswich, Mass., qui m'ont invitée à donner mes premières conférences sur ce sujet ainsi qu'aux nombreuses communautés religieuses à travers le pays qui ont par après entretenu en moi le feu de ces question. Un merci spécial aux Sœurs de la Miséricorde de Cincinnati qui ont autorisé l'enregistrement de ces réflexions sur les vœux pour les St. Anthony Messenger Press (*Living Religious Vows in an Age of Change — A Holistic Approach*, quatre cassettes**). Merci encore une fois à la maison d'édition, The Crossroad Publishing Company, ses responsables et son personnel, particulièrement Michael Leach, Frank Oveis et Eugene Gollogly, pour leur bienvaillance et leur support. Aux nombreux amis avec qui j'ai partagé ces réflexions, à mes étudiant qui m'ont encouragé à écrire, à l'Atheneum de l'Ohio pour le temps de penser et d'écrire, mes sincères remerciement. Enfin, d'une façon tout spéciale, je désire remercier ces femmes et ces hommes qui croient dans l'appel à témoigner d'une consécration et d'une mission dans la vie communautaire. Je veux vous remercier de votre foi, de votre espérance, de votre persévérance.

---

* S.N.D. de N.: il s'agit de la communauté de l'auteure: les Sœurs Notre Dame de Namur. (*NduT*)

** *Vivre les vœux religieux dans un temps de changement. Une approche holistique*, 4 cassettes, aux Presses du Messager Saint-Antoine. (*NduT*)

1

Un point tournant

Dans la province chinoise de Chiao-Chou sévissait une grande sécheresse. Depuis des mois, pas une goutte de pluie. La situation devenait catastrophique. Les catholiques firent des processions, les protestants dirent des prières, les Chinois brûlèrent des bâtons d'encens et déchargèrent des fusils pour éloigner les démons de la sécheresse. Mais sans résultat. Finalement, les Chinois dirent: «Faisons venir le faiseur de pluie!» Et d'une autre province arriva un vieil homme tout rabougri. La seule chose qu'il demanda fut une petite maison tranquille, et il s'y enferma pendant trois jours. Le quatrième jour, les nuages s'accumulèrent et il y eut une violente tempête de neige. Cela en un temps de l'année où personne n'attendait de la neige, surtout en pareille quantité. La ville était si pleine de rumeurs à propos du merveilleux faiseur de pluie que Richard Wilhelm alla demander à cet homme comment il avait fait. D'une manière toute occidentale, il dit: «On vous appelle le faiseur de pluie, pouvez-vous me dire comment vous avez fait cette neige?» «Je n'ai pas fait la neige, dit le petit Chinois, je ne suis pas responsable.» «Mais

15

qu'avez-vous fait durant ces trois jours?» «Ah, c'est facile à expliquer. Je viens d'un pays où les choses sont en ordre. Ici, tout est en désordre. Les choses ne sont pas comme elles le devraient selon l'ordonnance du ciel. Tout le pays n'est donc pas en Tao, et moi non plus, je ne suis pas dans l'ordre naturel des choses, puisque je me trouve dans un pays désordonné. Si bien que j'ai dû attendre trois jours afin de revenir en Tao et alors la pluie est venue tout naturellement[1].»

Cette histoire étudiée par la psychanalyste jungienne Jean Shinoda Bolen dans son livre *The Tao of Psychology*, se réfère symboliquement à ce qu'elle appelle un «état de sécheresse» de la psyché. C'est-à-dire un état de mal-aise et d'anxiété causé par un manque d'ordre intérieur, par le sentiment d'être coupé du Tout, du Tao. Cette anxiété, souligne Bolen, est presque exclusivement orientée vers l'avenir, remplissant la psyché d'un sentiment d'impuissance, la rendant même complaisante envers son désordre. Revenir à la plénitude, restaurer la fertilité et la créativité (la pluie) exige de se recentrer à nouveau — de trouver sa petite maison tranquille — afin de parvenir au silence et de faire l'expérience de l'Un.

Comment l'histoire de Bolen peut-elle s'appliquer aux soucis et aux questions qu'affronte la vie religieuse dans le monde actuel? On peut y trouver une grande pertinence, me semble-t-il. L'appel à revenir à un ordre intérieur paisible de façon à surmonter le bruit et la sécheresse et retrouver la créativité dans nos vies et nos communautés, cet appel deviendra plus facilement audible si nous prenons le temps d'écouter le silence intérieur et de nous tourner vers l'Un. Mais nous ne sommes pas les seuls à être touchés par cet état de sécheresse. L'histoire de Bolen vise,

---

1. Jean Shinoda BOLEN, m.d., *The Tao of Psychology* (Le Tao de la psychologie), San Francisco, Harper and Row, 1982, p. 98.

à mon sens, notre culture et toute la structure de pensée de la société occidentale actuelle. Aucun phénomène humain n'arrive isolément. Nous sommes fondamentalement des êtres-pour-les-autres. Leur vision nous influence. Ce qui les fait souffrir nous fait souffrir aussi, et vice versa. L'appel à «quitter le monde et à ne pas nous laisser contaminer par lui» pouvait avoir un sens pour Thomas à Kempis, mais sociologiquement, c'est une fausseté. Les religieux, comme tous les autres êtres humains, sont influencés par leur culture. Pour nous comprendre nous-mêmes, nous devons comprendre, au moins dans ses grandes lignes, les caractéristiques, les *comment* et les *pourquoi* du monde contemporain.

Une culture en crise

Nous vivons des temps difficiles, des temps de grand changement et d'incertitude, des temps de doute et de conflit, de confusion sociale aussi bien que morale. Ceux «qui savent» — tant philosophes, théologiens, sociologues que scientifiques — nous disent que les difficultés que nous vivons sont universelles, que dans tous les aspects de notre vie nous sommes confrontés à des saisies et des découvertes qui ne peuvent plus être contenues dans les concepts et les catégories qui nous étaient familiers, des concepts et des catégories qui pendant des siècles nous ont assuré des vérités claires et nous ont donné les réponses dont nous avions besoin pour maintenir le présent et envisager le futur avec optimisme. Notre âge est un âge de crise, nous appelant vers ce que Fritjof Capra, le physicien atomiste devenu mystique, identifie comme un immense point tournant dans nos conceptions, un déplacement considérable dans nos attitudes[2], dans nos

---

2. Fritjof CAPRA, *The Turning Point*, New York, Simon and Schuster, 1982, p. 15-16 (traduction française: *Le Temps du changement*, Monaco, Éd. du Rocher, 1990, p. 11-12.

manières habituelles de voir, de juger et de répondre à la réalité: nous-mêmes, le monde, Dieu.

Le point tournant que découvre Capra n'est évidemment pas quelque chose qui est réalisé facilement ou qui paraît même désirable pour la plupart d'entre nous, pris que nous sommes dans le tourbillon de la transition. Aucune civilisation ne se défait facilement des perspectives grâce auxquelles elle est parvenue à son faîte et auxquelles elle s'est accoutumée. Ainsi, sa rigidité et son inflexibilité sont souvent les précurseurs de la crise ultime et un facteur majeur dans son agonie. Capra, citant Toynbee, l'explique fort bien:

> Après que les civilisations ont atteint le sommet de leur vitalité, elle tendent à perdre leur élan culturel et à décliner. Un élément essentiel de cet effondrement culturel [...] est la perte de flexibilité. Quand les structures sociales et les schèmes de comportement sont devenus rigides au point que la société ne peut plus s'adapter aux situations qui changent, celle-ci ne sera plus capable de poursuivre le processus créateur de l'évolution culturelle, elle va se dérégler et éventuellement se désintégrer.

En d'autres termes, l'«état de sécheresse» s'est installé et la famine ne peut que s'ensuivre.

> Alors que les civilisations en période de croissance manifestent une diversité et une souplesse illimitées, celles qui sont en période de désintégration montrent de l'uniformité et une absence d'inventivité. La perte de flexibilité dans une société qui se désintègre est accompagnée par une perte générale d'harmonie entre ses éléments, laquelle conduit inévitablement à l'irruption de désordres sociaux et au démembrement[3].

---

3. *Ibid.*, p. 28 (fr., p. 24).

On n'a pas à chercher bien loin pour constater que ces phénomènes appartiennent à notre temps. La discorde et la rupture se rencontrent partout. Les psychologues disent que notre époque en est une d'aliénation et écrivent des livres sur l'inquiétude et même l'angoisse. L'inflexibilité gagne tant la communauté internationale que nationale alors qu'elles insistent pour dire qu'il y a une seule bonne voie, la leur. On dépense donc des milliards en «armes pour la paix»; on se méfie de quiconque parle de dialogue et de pluralisme, toujours au nom de la «sécurité nationale». Ce phénomène trouve un écho à l'intérieur de l'Église. Ici, notre inflexibilité se porte à la «défense de la foi» et de l'autorité du magistère. Ce qui tue dans l'œuf toute tentative de repenser la tradition de façon créatrice.

Pour parler symboliquement, la civilisation occidentale a besoin de se retirer dans sa «petite maison tranquille» et de faire silence pour retrouver l'harmonie avec l'univers de façon à saisir les occasions qui se présentent à elle dans cette crise. On remarquera que le terme chinois pour crise (*wei-ji*) parle tout à la fois de *danger* et d'*opportunité*[4]. Le philosophe Martin Heidegger, reconnu pour ses vues profondes sur le dilemme contemporain, s'exprime de la même façon quand il assure que «là où apparaît le danger, là se développe la délivrance[5]». La crise apparaît comme une dimension d'une transformation. «Nous vivons aujourd'hui dans un monde globalement interrelié, un monde dans lequel les phénomènes biologiques, psychologiques, sociaux et environnementaux sont tous interdépendants[6].» Pour décrire ce monde correctement et pour commencer à comprendre ce

---

4. Ibid., p. 26 (fr., p. 22).

5. Martin HEIDEGGER, *Vorträge und Aufstze*, 3 vol., 3ᵉ éd., Pfullingen, Günther Neske, 1967, vol. 1, p. 28 (Traduction de B. Fiand) (traduction française: *Essais et conférences*, Paris, Gallimard, 1980).

6. CAPRA, p. 16 (fr., p. 12).

dilemme, il faut, selon Capra une «perspective écologique», une perspective que j'appellerais plutôt *holistique*, afin de la distinguer plus clairement de la vision du monde dualiste qui a conduit notre société et notre culture à une telle situation dans l'histoire et à cette crise.

Le dualisme

Le dualisme, qui a été la pierre angulaire de la pensée occidentale durant des millénaires, paraît remonter, dans son articulation systématique, aussi loin qu'à idéalisme grec et à la vision du monde gréco-romaine, même si les spécialistes en général en situe les débuts avec Descartes, attribuant la vision du monde mécaniciste qui en découle à la physique newtonienne. Pour notre propos, ses origines gréco-romaines auront plus de portée, car les Grecs dans leur brûlante préoccupation pour la permanence au milieu du changement furent responsables d'une première division systématique du monde en esprit et matière, âme et corps, sacré et profane, certitude et illusion, supérieur et inférieur, bon et mauvais, masculin et féminin — division où le premier terme est à rechercher, le second au mieux à éviter, au pire à endurer.

La plupart des lectures de la réalité viennent, je pense, d'une certaine forme (bonne ou mauvaise) de prise de conscience de soi et d'une réflexion en conséquence, suivie d'une projection à l'extérieur. C'était le cas du droit à la fécondité chez les primitifs, c'est encore le cas, consciemment ou non, pour la plupart des théories contemporaines, de l'économique à la psychologie et même à la criminologie. Nous ne sommes donc pas loin de la vérité si nous pensons que nos ancêtres grecs ont fait de même. Se considérant eux-mêmes, considérant leur relation au temps et au changement, ils devinrent convaincus que bien des souffrances et des pertes (par conséquent du mal) accompagnent les choses transitoires, tandis que ce qui est permanent apporte avec soi stabilité et fiabilité (le bien). Leur propre corporéité parlait évidemment de changement. Il s'agissait de la matière (dans le latin tardif, non seulement théoriquement mais étymologiquement relié à la femme: *mater* – mère; *materia* – matière). Ce qui maintenait leur identité intacte même quand leur corps dépérissait, ils l'ont appelé «âme», «esprit». La matière est devenue le principe du changement et de l'illusion; l'esprit, le principe de la permanence et de la vérité.

Nous sommes tous plus ou moins familiers avec la métaphysique dualiste, puisqu'elle est devenue le signe distinctif de la chrétienté occidentale. D'Augustin et de l'augustinisme, en passant par Anselme et la scholastique médiévale, elle s'est insinuée dans la pensée chrétienne au point de devenir exclusive et virtuellement canonisée. (Plus d'un mystique fut condamné pour s'en être éloigné). Elle a finalement abouti au «rasoir d'Occam» et au scepticisme universel, mais seulement pour reprendre vie dans Descartes et les Lumières. De nos jours, nous en rencontrons l'envers dans le matérialisme et nous faisons face à ses effets dans le nihilisme le plus total: la mort de toutes les valeurs, le théâtre de l'absurde.

La spiritualité dualiste, qui est encore dominante aujourd'hui dans notre Église, comporte en elle-même la vision tant hiérarchique que patriarcale du sacré. La vision hiérarchique émerge tout naturellement de la vision dualiste, car si la moitié de la réalité est considérée comme bonne et l'autre comme mauvaise, si une moitié peut mériter confiance et être recherchée tandis que l'autre doit être évitée, il est facile de concevoir une structuration interne où «mieux que», «plus haut que», «plus noble que», «plus saint que», sont naturellement placés en opposition avec l'autre moitié, et où les qualités sont même divisées entre elles et rangées selon leur proximité avec l'esprit et leur éloignement de la matière. L'origine exacte du patriarcat semble obscure. Ce qui n'est pas obscur toutefois, c'est son orientation dualiste. Comme le psychanalyste jungien Edward C. Whitmont le fait remarquer:

> Les tendances religieuses, qui caractérisèrent la période du développement du moi patriarcal furent fondées sur la dévaluation de la vie naturelle et de la matière, de l'existence dans le monde et du corps. La réalité concrète telle que nous la rencontrons fut de plus en plus dépouillée de l'esprit et opposée à lui. L'intériorité propre à l'être dans le monde, domaine du féminin, fut méconnue.
>
> La misogynie (haine de la femme) et l'androlâtrie (culte du mâle) sont ainsi indissolublement liées aux convictions religieuses et aux croyances qui furent soutenues durant les derniers deux à quatre milliers d'années[7].

Nous nous trouvons aujourd'hui devant les résultats d'une spiritualité dualiste, patriarcale et hiérarchique. Elle imprègne encore, même après Vatican II, nos liturgies et nos prières, nos structures et nos ministères d'Église, la présence officielle de notre Église dans le monde et plusieurs structures de la vie religieuse. Comme religieux en effet, nous avons tous été formés en elle, entraînés à voir au travers de cette paire de lunettes, à juger selon cette mesure, à tout peser sur cette balance. Nous y sommes si habitués que beaucoup d'entre nous se rebifferaient à l'idée qu'il puisse y avoir une autre façon de comprendre la réalité, une autre façon de faire l'expérience de nous-mêmes et de notre relation aux autres, au monde et à Dieu, une façon aussi valide et profondément chrétienne mais holistique plutôt que

---

7. Edward C. WHITMONT, *Return of the Goddess* (Le retour de la déesse), New York, Crossroad, 1984, p. 125.

dualiste. La raison de ce refus et de ce mal-aise vient de ce que la vie spirituelle, comme le dit si bien Anne Carr, «pénètre partout et comprend tout. [...] Elle rejoint nos profondeurs inconscientes ou semi-conscientes. Et tout en façonnant notre conduite et nos attitudes, elle est plus qu'un code conscient. Nous mettant en relation à Dieu, la vie spirituelle est ce que nous sommes réellement, notre moi le plus profond[8].» Nous puisons dans notre vie spirituelle plus que nous l'avouons. Elle est l'ambiance — ce qui nous permet de voir, de réfléchir, d'interpréter, et ultimement de répondre aux questions profondes de l'existence. Elle colore notre vue, notre ouïc, notre parler, même notre respiration[9]. Rien d'étonnant alors à ce que la remise en question de la spiritualité dominante de notre époque — la spiritualité orientant un individu — insécurise et dérange.

> La vie spirituelle est exprimée en tout ce que nous faisons. Il s'agit d'un style, propre à chacun, qui affecte toutes nos attitudes: prière communautaire et personnelle, conduite, expression corporelle, choix de vie; elle se retrouve dans ce que nous appuyons et affirmons, ce à quoi nous nous opposons, ce que nous refusons. [...]

> Elle est profondément influencée par la famille, les professeurs, les amis, la communauté, la classe sociale, la race, la culture, le sexe et par notre situation dans l'histoire, tout comme elle est influencée par les croyances, les positions intellectuelles, les options morales[10].

---

8. Joann WOLSKI CONN (dir.), *Women Spirituality. Resources for Christian Development* (Spiritualité des femmes. Ressources pour le développement chrétien), New York, Paulist Press, 1986, p. 49.

9. D'où l'insistance mise par certains auteurs spirituels sur la respiration et la position dans la prière. La personne pressée et essoufflée en dit long sur sa vie et son attitude — consciente ou non — devant les fins dernières.

10. WOLSKI CONN, p. 50

La spiritualité constitue notre mythe le plus profond, l'énergie qui alimente notre imagination et nos sentiments et dirige notre intelligence. Nous y sommes intimement engagés même si ce n'est pas toujours de façon consciente. Être ébranlé dans sa vie spirituelle produit une secousse qui atteint au plus profond de notre être, secousse qui s'intensifie en proportion directe de notre inconscience. Tout comme notre moi profond peut nous être partiellement caché, même s'il fournit l'énergie à nos actions et façonne notre manière de voir le monde, ainsi notre spiritualité peut échapper à notre conscience claire et, de ce fait, à un examen minutieux. Plus étendue et plus profonde que la théologie spéculative, elle n'en a pas la spécificité mais s'exprime plutôt à l'intérieur du *mythos* culturel, racial et sexuel qui inspire la réflexion théologique et qui, en retour, s'en nourrit. Elle constitue le terreau d'où jaillit la théologie, un terreau qui, toutefois, au nom de la clarté et de l'explicitation théologique, a été labouré et cultivé par notre tradition occidentale en laissant impensés de grands pans de son originalité.

Approfondir nos mythes

Aller au fond de nos mythes pour les amener à la conscience signifie que nous pouvons «les affirmer ou les refuser, en accepter des parties et en rejeter d'autres à mesure que grandit notre relation avec Dieu, avec les autres, avec le monde[11]». Approfondir nos mythes nous amène à les dépasser alors même que nous nous tenons à l'intérieur de ceux-ci. Cette démarche nous rend libres de répondre avec plus de profondeur à leur message concernant les questions ultimes de l'existence. Elle nous rend capables de recevoir leurs réponses et d'aller avec elles vers d'autres

---

11. *Ibid.*, p. 51.

questions encore plus profondes sur notre origine et notre destination: d'où venons-nous et pourquoi; qui sommes-nous et comment devrions-nous vivre; quel est notre vraie demeure et comment y retourner. Approfondir nos mythes dans la société contemporaine signifie toutefois, plus que jamais auparavant, le faire dans le contexte d'autres disciplines: de l'archéologie et de l'anthropologie, de la psychologie, de la sociologie, de la biologie et de la physique, de la linguistique, de la philosophie et de l'histoire. Il en est ainsi car approfondir nos mythes aujourd'hui signifie faire face à la crise de notre culture et accepter son appel à une transformation. Ce qui requiert honnêteté, intégrité, courage. Nous ne pouvons plus nous contenter d'un religieux isolement ou d'un absolutisme autoritaire justement parce qu'ils originent tous deux de cette culture même et de ce mythe qui sont en crise et ont besoin d'être transformés. Approfondir nos mythes requiert en conséquence une ouverture à la possibilité de refaire au complet les fondements de notre spiritualité; il s'agit d'«une révolution de la conscience», pour employer l'expression de Béatrice Bruteau, où nous prenons le risque de laisser se faire jour «une transformation radicale de nos façons de voir nos relations les uns avec les autres, de telle sorte que nos schèmes de comportement soient réformés en allant de l'intérieur vers l'extérieur[12]». Ce qui n'est pas une tâche facile. Elle requiert d'affronter avec courage ce qui ne fait plus l'affaire et de repenser tout ce qui perpétue le dualisme et son esprit de division, d'élitisme, d'isolationnisme et d'exclusivité. Il s'agit d'amener à la surface, à la réflexion consciente, les questions fondamentales qui sous-tendent toute spiritualité et qui, pour la majorité

---

12. Beatrice BRUTEAU, «Neo-Feminism and the Next Revolution of Consciousness,» (Le néo-féminisme et la prochaine révolution de la conscience), *Anima*, 3,2 (printemps 1977), p. 1.

d'entre nous, sont restées dans le domaine de la foi aveugle, impensées et inquestionnées:

— Qui est notre Dieu?

— Qui sommes-nous?

— Comment sommes-nous reliées à notre Dieu — dans l'authenticité et la droiture ou dans l'aliénation et le péché?

— Comment pouvons-nous retourner à la maison? Qu'est-ce que la rédemption?

Approfondir nos mythes signifie sonder les réponses à ces questions dans leurs répercussions sur nos valeurs et sur notre conduite. Il s'agit de les reprendre dans une perspective écologique et holistique qui nous aidera à traverser la crise actuelle et à retrouver l'harmonie avec l'Un.

Nous connaissons tous le Dieu du dualisme. Au risque de paraître simpliste, on pourrait présenter le résumé suivant*. Le Dieu du dualisme est un chef patriarcal, différent d'un parent par sa colère et sa distance (bien qu'appelé Père), exigeant l'amour, considérant comme primordiale l'obéissance. Il (car il ne fait pas de doute qu'il est du genre masculin) a fait le monde à partir de rien en six jours et se reposa le septième, nous obligeant tous (sous peine de péché) à en faire autant pour l'imiter et lui rendre un culte. Le Dieu du dualisme est une «puissante forteresse», un «rempart», le Seigneur des seigneurs, le Roi des rois. Seuls des ministres consacrés (des hommes) peuvent s'approcher de son sanctuaire et seuls des doigts consacrés peuvent le toucher. Son amour pour nous est une question de foi. Il envoie la souffrance en châtiment, pour «notre propre bien», et

---

* Il est important de noter que dans cette présentation, une stricte orthodoxie n'est pas ma préoccupation première. Je suis plutôt intéressée au *mythos* et à l'étendue de son influence: comment il s'infiltre dans la connaisance que nous avons de nous-mêmes en rapport avec le Saint et l'orientation générale de nos valeurs et de notre conduite.

parce qu'il nous aime. Quand de bonnes choses nous arrivent, nous le remercions, quoique nous soyons aussi inquiets du lendemain car ces moments sont «trop bons pour être vrais». Paradoxalement nous pouvons rejeter ce Dieu (perdre la foi) vu son ingérence dans notre vie, car «un Dieu de bonté ne permettrait pas que nous souffrions autant».

Une lecture dualiste de la réalité définit clairement notre place dans l'univers. Notre humanité se divise en deux: l'homme fut créé à l'image de Dieu; Ève, son aide bien assortie, était une créature secondaire. Thomas d'Aquin la considérait comme «un homme incomplet»; Augustin se demandait si elle avait une âme[13]. Depuis le premier péché, les êtres humains sont dépravés. Nous sommes pécheurs dès l'origine. Notre relation à Dieu fut coupée. Nous tenons notre dépravation des rapports sexuels de nos parents. (Cette manière de voir s'accorde avec le rejet du corps et de la sexualité humaine). On considère le corps comme distinct de l'âme (sa prison, en fait) alors qu'il demeure dans une «vallée de larmes». Le premier péché en fut un de désobéissance et d'orgueil — un désir d'être comme Dieu. Les vertus opposées sont donc l'obéissance (de préférence aveugle et prompte) et l'humilité, vue comme rabaissement de soi et abnégation, ordinairement jugées à partir d'actes extérieurs qui les manifestent. Comme religieux, nous nous souvenons bien de nos «actes d'humilité» et de renoncement comme de toutes nos pénitences corporelles.

Dans un système dualiste et patriarcal, la rédemption est accomplie au moyen de la rançon, de la souffrance en vue de «payer le prix du péché». Elle «ouvre les portes du ciel» par la rétribution offerte à la divinité offensée — rétribution que seul Dieu pouvait offrir à cause de l'énormité du péché qui s'attaquait

---

13. WHITMONT, p. 124.

27

à Dieu lui-même. Seul Dieu peut apaiser Dieu. La mort pour nos péchés était voulue par Dieu et acceptée par le Christ en parfaite obéissance au Père comme une offrande apaisante qui nous remet en grâce. Par la mort du Christ, nous devenons un «peuple saint», tout indignes que nous soyons.

Le paradigme esquissé ici a l'air d'un brouillon et peut offenser un lecteur formé à la théologie après Vatican II. Mais il faut se rappeler que les distinctions théologiques ont peu de prise sur les chrétiens ordinaires si le mythe fondateur demeure impensé et n'est pas remis en question. Ainsi, par exemple, peu d'entre nous sont encore préoccupés par le péché mortel relié au travail le dimanche, il se peut même que nous soyons au courant de l'exégèse actuelle du récit de la création et que nous ayons étudié la théologie contemporaine du péché, cependant qui parmi nous a remplacé l'ancienne préoccupation de ce péché par une compréhension de la célébration de la création, du travail comme libération cosmique et du repos comme contemplation joyeuse de la bonté et de l'harmonie du monde?

On pourrait rejeter ce genre de défi comme impraticable de nos jours et dans notre culture. Nous sommes plongés dans un monde où le travail est aussi absorbant que la drogue. Quand nous ne sommes pas au travail, nous peinons à relaxer et nous sommes inquiets quand nous n'avons rien à faire. Et c'est précisément le problème. La maladie de l'activisme a les mêmes racines que le repos obligatoire du sabbat. Ni l'une ni l'autre ne découle de l'obéissance de quelqu'un à sa propre intégrité et à son unité créatrice avec le cosmos; on n'entend pas l'appel de la bonté qui nous invite à célébrer avec toute la création. Tous les deux ont été *introduits de l'extérieur* et tirent leur force d'un manque de confiance fondamentale en soi. L'un oblige sous peine de péché, imposant de rendre un culte — sacrifiant du temps au *spirituel* aux dépens des soucis matériels de la vie.

28

L'autre vient du besoin de réussir dans un monde où les possessions matérielles définissent le statut et la valeur d'une personne et où l'esprit est discarté comme insignifiant. Que l'obligation dans les deux cas vienne de sources différentes — l'une de la religion, l'autre de la société et de la culture plus globale; l'une du *spiritualisme*, l'autre du *matérialisme* — n'a rien de significatif. Les deux sont fondés sur une vision du monde qui est déchirée et a besoin de réconciliation.

Les «actes d'humilité» rappelés plus haut sont un autre cas méritant attention. Si le renoncement et le rejet total du corps ne font plus problème aujourd'hui, l'accroissement de sa propre importance et la passion du succès, du prestige et de la considération qui ont pris la relève (et les religieux n'en sont pas à l'abri) ne sont que le revers de la médaille. Les deux sont sous-tendus par un sens profond de l'insignifiance de la personne et un besoin de se plier aux normes extérieures.

Comme dernier exemple pour montrer que ce qui nous concerne ici est plus fondamental que purement spéculatif, nous pourrions brièvement soulever le problème du genre de Dieu. L'expérience semble confirmer encore que les explications et les preuves démontrant qu'on se trompe en attribuant un genre à Dieu n'ont rien fait pour éliminer l'orientation toujours masculine des directives et du langage de l'Église qui ont encore cours aujourd'hui. Elles ne font souvent que troubler aussi bien les femmes que les hommes, puisqu'elles dérangent profondément le *mythos*. Le mouvement féministe non plus ne semble pas capable d'enlever la plaie du sexisme dans notre Église. Souvent, il ne fait que l'accentuer, car il n'est fréquemment qu'une simple réaction au sexisme, pris dans la même dichotomie culturelle qui a affligé notre imagination depuis des millénaires. La question n'est pas, après tout, de savoir *qui* a le pouvoir. Le pouvoir utilisé pour *dominer* et exclure, voilà ce qui appelle une réflexion et une guérison en conséquence. Les questions dont nous traitons ici dépassent la seule intelligence. Elles nous atteignent dans notre sensibilité la plus profonde. Sandra Schneiders l'exprime fort bien:

> Une spiritualité saine requiert la guérison de l'*imagination* qui nous permettra non seulement de penser différemment au sujet de Dieu mais de *faire l'expérience de Dieu d'une manière différente.* L'imagination a accès non pas d'abord aux idées abstraites, mais au langage, aux images, à l'expérience interpersonnelle, au symbolisme, à l'art — *toutes les approches intégrées qui s'adressent en même temps à l'intelligence, à la volonté et au sentiment* [14].

De nouvelles fondations à nos mythes

Depuis des années, nous avons tenté de redresser les choses, tant culturellement qu'ecclésialement, mais de façon isolée et à la pièce, un peu comme les catholiques, les protestants et les Chinois dans le Chiao-Chou, avant qu'ils n'en viennent à s'unir et appellent le faiseur de pluie. La vraie solution consiste à entrer dans la «petite maison tranquille» et à faire l'unité l'un avec l'autre ainsi qu'avec toute la création. Ce qui appelle manifestement un paradigme différent de celui auquel nous sommes habitués. Notre vision du monde semble en effet avoir atteint sa «situation limite».

Dans la croissance et la maturité individuelles, arriver à une situation limite signifie que l'on a atteint un niveau de développement où les perceptions et les réactions anciennes ne font plus l'affaire et où de nouvelles intuitions approchent qui n'ont pas

---

14. Sandra SCHNEIDERS, *Women and the Word* (Les femmes et la Parole), New York, Paulist Press, 1986, p. 19 (italiques de B. Fiand).

encore vu le jour. Chacun ressent une impression générale de confusion et de chaos, sinon même d'impuissance, alors qu'il ne peut rien faire d'autre qu'attendre l'«aube nouvelle».

> Dans une situation limite, on perd pied [...] on devient tout à coup conscient des limites fondamentales de son existence, on découvre la contingence radicale de tous les êtres rencontrés. Dans une situation limite, le monde familier perd de sa solidité et de son évidence pour s'effriter peu à peu en tant qu'ancrage ultime de l'existence. Une situation limite révèle les limites fondamentales de toutes choses et de toutes situations particulières. À l'intérieur de ces situations, elle pointe vers une possible transcendance, indiquant par là qu'il existe quelque chose de plus fondamental, sans pourtant faire connaître en quoi cela consiste exactement[15].

Le parallèle culturel ressort facilement de cette analyse. Sur la couverture de l'édition de poche de *Stories of God: An Unauthorized Biography* (Historiettes sur Dieu. Une biographie non autorisée), John Shea le cerne fort bien et nous amène même plus loin:

> Lorsque nous atteignons nos limites, quand notre monde s'effondre, quand nous sommes incapables de mettre en œuvre nos idéaux moraux, quand nous sommes désenchantés, nous devenons souvent plus conscients du Mystère. Nous ne pouvons nous défendre d'être reliés à ce Mystère qui est à la fois immanent et transcendant, qui lance des invitations auxquelles nous devons répondre, dont les intentions demeurent ambiguës mais qui est réel et

---

15. Bernard J. BOELEN, *Personal Maturity* (La maturité personnelle), New York, Seabury Press, 1978, p. 79.

d'une importance dépassant tout le reste. Habiter ce Mystère est tout à la fois menaçant et prometteur, ténèbres profondes et lumière imméritée[16].

Telle est, à mon sens, la situation présente. Se trouvant dans une situation limite, notre culture est mûre pour une aube nouvelle, pour la révélation et la rencontre du Mystère. Néanmoins, la question persiste: Que pouvons-nous espérer de cette «transcendance possible»? Quelle lumière jaillira de cette «nouvelle ouverture»?

Quand nous nous rassemblerons dans le silence de notre «petite maison tranquille» et nous ouvrirons à la réconciliation avec la création, ce qui nous sera donné ne sera pas, à mon sens, quelque chose de *nouveau*, si par «nouveau» on entend «complètement différent». Heidegger nous dit que notre avenir, paradoxalement, nous vient de notre passé. Et il en est de même, à mon sens, de l'invitation à passer du dualisme à la globalité. Fondamentalement, il s'agit de revenir à ce qui a toujours été à la racine de notre héritage chrétien et nous appelle maintenant à sortir de notre amnésie et de notre égarement pour retrouver la pleine clarté.

Même si le dualisme gréco-romain nous accompagne depuis si longtemps que nous pouvons difficilement concevoir autre chose, les spécialistes nous assurent qu'il n'était en aucune façon la source d'inspiration du christianisme, malgré l'attraction qu'il a exercé sur la théologie au cours des siècles. Jésus était un juif et son mouvement faisait partie de l'histoire juive de son temps. Comme les autres mouvements juifs de son époque, ce qui faisait son souci, c'était le règne de Dieu (sa *basileia*) et le rôle d'Israël comme peuple saint de Dieu. «Toutefois, le mouvement

---

16. John SHEA, *Stories of God* (Historiettes sur Dieu), Chicago, Thomas More Press, 1978, page couverture et p. 39.

de Jésus refusait de définir la sainteté du peuple choisi en termes cultuels, la redéfinissant plutôt comme une intégralité (wholeness*) visée par la création[17].» Une plénitude intégrante, non la division entre le sacré et le profane, pénètre la vision de Jésus qui voit la *basileia* de Dieu comme déjà présente (eschatologie réalisée), alors que nos yeux s'ouvrent et que nos cœurs s'attendrissent pour la reconnaître.

> La réalité symbolique centrale de la vision de la *basileia* chez Jésus n'est pas le repas cultuel mais la table de fête d'un banquet royal ou d'une noce. [...] Aucun récit raconté par Jésus ou à son propos ne manifeste une préoccupation pour la pureté rituelle et la sainteté morale si typiques des autres groupes de la Palestine gréco-romaine. [...] Il ne partage pas leur compréhension de la sainteté du Temple et de la Loi comme lieu de la présence de Dieu et de sa puissance[18].

La puissance de Dieu était présente à son peuple et se manifestait par la mission de guérison du Christ, par son accueil des malades, des brisés, des prostituées, des collecteurs d'impôt, des femmes comme des hommes, parmi ses disciples — en toute égalité. Comme le souligne Elisabeth Schüssler Fiorenza:

> Le Dieu d'Israël est le créateur de tous les êtres humains, même les infirmes, les impurs et les pécheurs. [...] L'intégralité signifie la sainteté et la sainteté se manifeste justement dans l'intégralité humaine. La vie quotidienne ne doit

---

* Le néologisme *Wholeness* indique la totalité. Il s'agit d'un tout dont on considère, et sauve même, toutes les parties. Ce terme est habituellement traduit par intégralité (pour désigner l'ensemble), mais aussi à l'occasion par plénitude (pour désigner le caractère accompli) et par intégrité (pour désigner le caractère intact ou intègre). (*NduT*)

17. Elisabeth SCHUSSLER FIORENZA, *In Memory of Her*, New York, Crossroad, 1984, p. 113 (traduction française: *En mémoire d'Elle*, Paris, Cerf, 1986, p. 175).

18. *Ibid.*, p. 119-120 (tr. fr., p. 185).

pas être mesurée par la sainteté sacrée du Temple et de la Torah, mais la praxis du Temple et de la Torah doit être mesurée et évaluée par leur capacité d'intégrer chaque personne en Israël et d'engendrer cette plénitude chez tout être humain. Le quotidien, en conséquence, peut devenir lieu de révélation et tout être humain peut expérimenter la présence et le pouvoir de l'intégralité sainte de Dieu[19].

Edward Schillebeeckx, dans sa réflexion sur *La foi chrétienne*, se trouve à appuyer la position de Schüssler Fiorenza quand, citant Irénée, un Père de l'Église, il souligne que «la gloire de Dieu réside dans le bonheur, la libération et le salut ou l'intégralité de l'humanité». Notre croyance dans la création signifie que «Dieu nous aime sans conditions ni limites, sans aucun mérite de notre part et sans frontières[20]». Cette assurance chrétienne était fondée sur l'expérience de l'«itinéraire de Jésus, de son message et de sa façon de vivre qui s'y conformait, des circonstances particulières de sa mort et enfin du témoignage apostolique de sa résurrection d'entre les morts[21]». Le mouvement de Jésus originel tirait son énergie de la vision du Christ se dressant contre la déshumanisation et l'oppression de la culture patriarcale du temps. La *basileia* incluait tout le monde, elle se souciait de l'intégrité de tous. «La proclamation par Jésus d'un "renversement eschatologique" (beaucoup de ceux qui sont premiers seront les derniers et les derniers seront les premiers...) s'applique aussi aux femmes et à la situation d'infériorité que leur attribuent les structures patriarcales[22].» Sa vision sonnait

---

19. *Ibid.*, (fr., p. 185-186)
20. Edward SCHILLEBEECKX, *On Christian Faith* (Sur la foi chrétienne), New York, Crossroad, 1987, p. 17.
21. *Ibid.*, p. 18.
22. SCHUSSLER FIORENZA, p. 121 (fr. p. 187).

donc le glas tant du patriarcat que de la hiérarchie. De plus, il n'avait pas l'expérience de Dieu comme patriarche et ne s'adressait pas à lui de cette façon. Même si les contraintes culturelles qui pesaient sur lui comme enseignant et comme héraut du plan de Dieu sur l'humanité dans un endroit et un temps particuliers le forçaient à présenter Dieu comme Père[23], Jésus n'a jamais rien manifesté de patriarcal dans sa relation avec son Dieu. En fait, c'est plutôt le contraire. On n'emploie pas le mot *abba* pour s'adresser à un patriarche. Jésus a complètement purifié l'image père-fils vétérotestamentaire de ses «relents patriarcaux», affirme Sandra Schneiders. Il «trace son image de Dieu à partir d'une représentation non-patriarcale de Dieu, celle d'un père d'Israël profondément offensé mais pardonnant sans fin[24]».

Je n'ai ni l'intention ni le temps d'explorer ces questions davantage. D'une façon ou d'une autre, on a beaucoup écrit sur ce sujet et avec plus de compétence. La question qui demeure en suspens quant à notre propos est pourquoi cet héritage ancien ne s'est pas maintenu.

L'explication la plus facile à comprendre est sans doute l'interprétation historique fournie par Schüssler Fiorenza. Le mouvement missionnaire chrétien fait croître la communauté primitive et rejoint la culture gréco-romaine, mais il est en même temps infiltré par elle[25]. Aucun missionnaire n'échappe à l'influence de la société à qui il ou elle apporte l'Évangile. «Aller enseigner toutes les nations» voudra toujours dire être enseigné et influencé par elles en retour. Les pressions sociales et psychologiques, de même que le temps et l'interaction constantes effacent peu à peu la pureté de n'importe quelle vision de sorte que

---

23. SCHNEIDERS, p. 41-50.
24. *Ibid.*, p. 45.
25. SCHÜSSLER FIORENZA, chap. 5.

l'adaptation semble inévitable. De la catéchèse de Paul se référant à «l'autel au dieu inconnu» jusqu'à Nicée et Chalcédoine, la métaphysique grecque a pénétré progressivement dans la tradition chrétienne. Et il ne s'agit pas seulement de simples concepts, mais d'une tendance à réduire les mouvements intellectuels — comme la foi — à des systèmes et d'apporter unité, clarté et permanence là où il y avait diversité et devenir. Or cet envahissement subtil a souvent été encouragé par les efforts de l'Église pour rencontrer les dissidents sur leur propre terrain. Si ce terrain s'adonnait à être métaphysique, comme c'était généralement le cas, la défense de la foi devenait métaphysique; en conséquence, le dogme qui résolvait le conflit et qui s'étendait à l'Église entière se présentait aussi en langage métaphysique.

Joseph S. O'Leary explique bien cet engrenage. L'espoir premier des Pères grecs, selon lui, était de «rendre captive» l'intellectualité grecque pour la faire servir à l'explication et à la défense de l'Évangile. «Mais il n'existe peut-être pas de conquête à sens unique, et on peut dire tout autant que l'Évangile du Christ a été fait prisonnier par l'intellectualité grecque[26].» Comme les hérésies se multipliaient, l'usage courant des concepts et de la terminologie s'accrut, puisque l'Église, afin de préserver l'intégrité de l'Évangile, identifiait de façon toujours plus précise les données de la foi. Ainsi,

> les principes fondamentaux de la philosophie étaient de plus en plus redéfinis en des termes chrétiens (ainsi la cosmologie était maintenant fondée sur la doctrine biblique de la création, la théologie et la théodicée, sur la doctrine du Père et de son Logos, l'éthique et la psychologie, sur la doctrine du péché et de la grâce). Un processus de transfusion

---

26. Joseph S. O'LEARY, *Questioning Back* (Questions en retour), Minneapolis, Winston Press, 1985, p. 152.

intellectuelle prit donc forme selon lequel le christianisme est devenu capable de remplacer la métaphysique comme système intellectuel suprême en Occident. Les credos et les dogmes qui avaient été forgés à l'origine pour défendre l'identité chrétienne contre une absorption par les courants de pensée et de religiosité hellénistiques, devinrent après Nicée les instruments qui établirent le christianisme en philosophie véritable abrogeant toutes les autres. [...] Il se peut que le dogme ait contré la métaphysique dans la mesure où il préservait l'identité de la foi de son absorption par celle-ci, mais en mettant l'accent sur les définitions et la certitude et en prétendant être reçu comme principe premier, il a trahi son propos initial et est devenu l'instrument par lequel la foi chrétienne a assumé une très forte identité métaphysique[27].

Les choses ne se sont pas améliorées en passant du grec au latin, un instrument plus étroitement logique, dans lequel les doctrines des Pères «furent réunies en un système plutôt pétrifié, dans lequel la marge d'imprécision et de mystère qu'elles gardaient dans le grec fut élagué sans merci[28]». L'influence d'Augustin fut ici importante. Avec lui, la métaphysique devint le programme de base de toute expérience. «Une géographie systématique de l'amour et du désir, de la joie et de la souffrance, du péché et de la vertu[29].» L'Occident chrétien se retrouva avec pour seul vocabulaire religieux la terminologie latine d'Augustin, une terminologie visant à maîtriser et à renfermer tous les mouvements de l'Esprit à l'intérieur de ses concepts:

---

27. *Ibid.*, p. 152-153.
28. *Ibid.*, p. 176.
29. *Ibid.*

Ainsi quelle que soit la direction où on s'engagea après Augustin, expérience religieuse ou spéculation théologique, on se butait aux structures englobantes de son programme de base, qui semblaient fixer de façon définitive les limites de la vérité chrétienne. On ne pouvait non plus y échapper en retournant à l'Écriture puisque l'Écriture était automatiquement lue avec les yeux d'Augustin même chez les Réformés[30].

La pertinence de ces remarques pour bien comprendre la vie religieuse et les vœux deviendra manifeste, je l'espère, dans les chapitres à venir. Pour le moment, nous pouvons terminer ces brèves mais néanmoins complexes réflexions sur les raisons de notre «oubli» des plus anciennes traditions — notre coupure apparente d'avec nos racines — en rapportant une autre remarque profondément troublante de O'Leary: «Si l'Église aujourd'hui prête flanc aux critiques de Marx, de Freud et de Nietzsche, dit-il, c'est dû en grande partie à un augustinisme insuffisamment surmonté.» Il y voit «une institutionalisation métaphysique de l'Évangile qui l'empêche de déployer son défi libérateur dans une interaction concrète avec les situations sociales et psychologiques, mais tente d'inscrire son message dans un code systématique[31]». La pertinence de cette intuition dans le cas des religieux semble évidente, surtout après la lutte longue et souvent pénible que plusieurs d'entre nous avons connue en cherchant l'approbation de nos constitutions comme expressions de notre expérience vécue et de nos espoirs. Chaque fois que le langage de la libération ou le souci de la justice *menace* l'establishment, celui-ci peut se montrer plutôt lourd! O'Leary insiste pour dire (et ceci n'est sûrement pas nouveau pour nous à l'heure actuelle): pour

---

30. *Ibid.*, p. 177.
31. *Ibid.*

vivre authentiquement l'Évangile aujourd'hui, nous devons «renverser la métaphysique». Nous devons retourner aux racines pour nous ouvrir à de nouveaux paradigmes de façon à permettre au christianisme de devenir crédible une fois de plus. Il est clair que les théologiens de la libération sont tout à fait d'accord avec ces remarques — ainsi que ceux que préoccupent l'égalité et la dignité de la femme ou de n'importe quel groupe opprimé, les écologistes chrétiens et tous ceux qui avec eux proclament la bonté de la création, aussi bien que les mystiques de partout. Nous avons affaire ici, au plan ecclésial, à un problème équivalent à celui de la physique de Newton et notre responsabilité en tant que peuple de Dieu est de penser au-delà de ces absolus jusqu'à nos origines — jusqu'à l'énergie de la tradition chrétienne telle qu'elle apparut au tout début. Si, comme le soutient James J. Bacik, la société connaît une «éclipse du mystère[32]», alors notre tâche est de nous ouvrir une fois de plus à la possibilité de sa réapparition. Rien d'autre n'est à la hauteur de notre héritage.

Dans le monde de la physique, la théorie des quanta a forcé les scientifiques à ce passage. Elle les a mis en face du mystère dépassant les «solutions» newtoniennes. Cette découverte ne les a pas seulement conduits à une profonde crise intellectuelle, elle les a engagés dans une expérience plus émotive et existentielle de la réalité comme paradoxale, comme fondamentalement dynamique et organique. Vu ses différences révolutionnaires par rapport aux présupposés antérieurs, cette situation les a pratiquement conduits au désespoir[33]. Accepter que la réalité soit essentiellement paradoxale exige un changement radical d'attitude. Il s'agit d'apprendre à l'approcher avec des questions

---

32. James J. BACIK, *Apologetics and the Eclipse of Mystery* (L'apologétique et l'éclipse du mystère), Notre Dame Ind., Notre Dame University Press, 1980, p. 3.

33. CAPRA, p. 76 (trad. fr, p. 68).

différentes. L'assurance unilatérale d'une vision du monde mécaniciste et dualiste ne tient plus, une approche holistique et écologique paraît plus adaptée. «L'esprit ne nous apparaît plus comme un intrus dans le royaume de la matière; nous commençons à soupçonner que nous devrions plutôt l'accueillir», écrit James Jeans, tandis que Lincoln Barnet postule «un fondement ultime, indifférencié et éternel au-delà duquel il ne semble pas y avoir de progrès possible[34]». Le biologiste Adolf Portman parle d'«un abîme non spatial de mystère qui s'ouvre derrière l'organisme vivant ou à ses origines[35]».

Suivant l'exemple du monde de la science, nous pourrions, dans notre recherche d'un nouveau paradigme, commencer par nous livrer au mystère. On nous dit que nos réponses ne seront pas d'une clarté géométrique, et nous nous rappelons la promesse de John Shea voulant que notre expérience en soit une d'ambiguïté, de «ténèbres profondes et de lumière imméritée». La spiritualité que nous cherchons en retournant à nos racines avec une attitude de foi ouverte plutôt qu'aveugle, dans un effort pour repenser là nos mythes, n'apportera pas de solutions définitives. Les questions conduiront vraisemblablement à des questions plus profondes à mesure que l'intellect cédera la préséance au cœur et que nous ferons place, dans notre pensée, à l'existentiel et à l'expérientiel, au mystique, au paradoxal.

Vers un paradigme holistique

Nous avons déjà certaines indications sur le milieu où prend naissance une spiritualité holistique: depuis les plus anciennes traditions du mouvement de Jésus, nous savons que Dieu est

---

34. Cité par Aniela JAFFE, *The Myth of Meaning* (Le mythe de la signification), New York, Penguin, 1975, p. 35.
35. Cité par *ibid.*, p. 31.

essentiellement amant, nourricier, parent. Les mystiques qui ont gardé cette intuition concrètement vivante à travers l'histoire de l'Église, la déploient pour nous. Ils tirent comme tout naturellement leur compréhension de l'amour divin de leur propre expérience d'un authentique don de soi. L'amour, disent-ils, est amour seulement s'il s'exprime à l'intention d'un autre. Personne ne peut aimer isolément. Par essence, l'amour parle d'ouverture, d'altérité, de partage. L'amour de Dieu ne saurait être d'une autre nature, mais plutôt infiniment plus. En se portant vers l'autre, il éclate presque nécessairement en création. La création est l'acte d'amour de Dieu.

Les termes que le mystique allemand Eckhart emploie pour décrire cette activité divine sont remplis de l'exubérance et de l'énergie de la *dabar*, la parole de Dieu. Quand Dieu «enjoue» l'univers, il est la «grande rivière souterraine que personne ne peut harnacher ni arrêter». Le divin créateur «trouve joie et extase en nous». L'amant de l'humanité est «toujours vert, toujours verdoyant, toujours fleurissant. Chaque action de Dieu est neuve. [...] Dieu est ce qu'il y a de plus neuf au monde, de plus jeune au monde. Dieu est le commencement. [...] Il est volupté et délices[36].» Pour Hildegarde de Bingen, «la lumière de Dieu est extase pour toute la création». Dieu est «la Parole qui résonne, le "Que cela soit!"» Réfléchissant poétiquement sur l'activité créatrice de Dieu, elle l'entend dire: «De ma bouche, je baise ma création bien-aimée; j'embrasse longuement, comme si elle était unique, chaque image que j'ai faite à partir de la glaise[37].» Dans une expérience mystique plus proche de nous, T.S. Eliot compare l'énergie créatrice de Dieu à «une danse au point

36. Matthew FOX, *Meditations with Meister Eckhart* (Méditations en compagnie de Maître Eckhart), Santa Fe, Bear & Co, 1982, p. 16, 18, 32-33.
37. Gabriele UHLHEIM, *Meditations with Hildegard of Bingen* (Méditations en compagnie de Hildegarde de Bingen), Santa Fe, Bear & Co, 1982, p. 32, 34, 35.

41

repos», attirant notre attention sur le paradoxe dynamique de Dieu:

> Au point repos d'un monde qui tourne,
> Ni avec chair, ni sans chair,
> Ni venant de, ni allant vers;
> au point repos, là se trouve la danse.
> Mais il n'est ni arrêt ni mouvement.
> Et ne le dites pas fixité.
> Là où passé et futur se retrouvent.
> Sans mouvement depuis ni mouvement vers,
> Sans ascension ni déclin.
> N'était le point, le point repos,
> Il n'y aurait pas de danse, alors qu'il n'y a que la danse.
> Je ne puis que dire, là nous sommes allés,
> mais je ne puis dire où.
> Et je ne puis dire combien longtemps,
> car ce serait le placer dans le temps[38].

Dans l'acte d'amour de Dieu, la diversité infinie devient manifeste: «Tout ce qui existe baigne en Dieu, est enveloppé par lui qui est tout autour de nous, qui nous enveloppe. L'être est le cercle de Dieu et toute créature existe à l'intérieur de ce cercle. Tout ce qui existe en Dieu est Dieu[39].» La sainteté dès lors pénètre la création. «Et Dieu vit que cela était bon.» (*Gn* 1,4.10.12. 18.21.25.31). La création de Dieu est l'écho de Dieu, un acte de sagesse infinie, de grâce, de joie enjouée: «Dès l'éternité, je fus établie. [...] Moi (la sagesse), je faisais ses délices jour après jour, m'ébattant tout le temps en sa présence, m'ébattant sur la

---

38. Cité par George A. MALONEY, s.j., *God's Exploding Love* (L'amour explosif de Dieu), New York, Alba House, 1987, p. 23-24.
39. FOX, p. 22-23.

surface de la terre et trouvant mes délices parmi les enfants des hommes.» (*Pr* 8,23.30-31)

La perspective que je décris ici peut apparaître nouvelle sinon étrangère à quelques-uns, mais elle est, comme je l'ai déjà signalé, bien enracinée dans nos traditions les plus anciennes. Quand on lit les récits de la création, tout dépend sur quoi on entend mettre l'accent. Ainsi un Dieu qui se réjouit de la bonté de tout ce qui existe n'est pas un Dieu souvent mentionné dans la spiritualité dualiste qui choisit de mettre l'accent ailleurs; mais personne ne peut nier que ce Dieu est effectivement présenté dans l'Écriture. En passant, le Dieu du premier récit de la création est également le Dieu qui dépasse le dualisme patriarcal, si on se souvient de ceci: «Dieu créa l'homme à son image, à l'image de Dieu il le créa, *homme et femme il le créa*.» (*Gn* 1,27) L'image de Dieu ne peut être unilatérale. Ailleurs, j'ai traité de tentatives qui ont cherché à le faire, c'est-à-dire à supprimer le Dieu de la diversité (symboliquement à l'aise dans les deux genres) en traduisant le terme *Elohim* (employé pour désigner Dieu dans ce texte et composé d'un féminin pluriel et d'un suffixe masculin) en des termes purement masculins[40]. L'Écriture fut écrite par des humains et elle est lue par des humains. Les écrivains étaient inspirés certes, mais ils se trouvaient *à l'intérieur* d'une culture et d'une vision du monde. Pour comprendre et apprécier la Parole, il faut le reconnaître et se servir de tout ce que la critique peut nous offrir. «Aucun texte écrit par un être humain n'est sans un côté d'ombre, que le passage du temps met davantage en relief. La théologie est pour une bonne part un combat avec ces ombres[41].»

---

40. Barbara FIAND, *Releasement* (Mise en liberté), New York, Crossroad, 1987, p. 78-79.
41. O'LEARY, p. 176.

Or, si l'amour créateur ne peut être unilatéral, l'être humain qui vient de Dieu ne devrait pas être divisé contre lui-même ou elle-même. Pour Eckart, l'être humain est essentiellement la réponse d'amour au divin; il est celui qui de multiples manières rassemble la diversité infinie de Dieu dans l'adoration et la louange; celui en qui l'univers est amené à la parole, à la prière, au sens; il est le psalmiste en qui toute la création loue Dieu; le miroir en qui Dieu est réflété à Dieu; la mère vierge dont le vide, en s'abandonnant, reçoit Dieu et qui donne naissance à Dieu en retour, dans la gratitude[42]; il est l'étincelle où, dans l'éternité du temps et l'infini de l'espace, l'amour de Dieu jaillit, s'embrase et chante:

> Dieu se coule sans cesse dans l'âme et ne peut échapper à l'âme. Mais l'âme peut échapper à Dieu. Aussi longtemps qu'une personne demeure sous l'emprise de Dieu, elle en reçoit un influx divin sans intermédiaire. [...] Les maîtres disent que l'âme reçoit de la même façon que la lumière reçoit la lumière[43].

> Saisis Dieu en toutes choses, car Dieu est en tout[44].

> Le prophète dit: «Le Seigneur étendit la main.» (*Jr* 1,9) Il veut dire par là l'Esprit Saint. Et il dit ensuite: «Il me toucha la bouche», ce qui veut dire: «Il m'a parlé» (*Jr* 1,9). La bouche de l'âme est la partie la plus haute de l'âme, ce qui est signifié en disant: «Il a placé ses paroles dans ma bouche» (*Jr* 1,9). Voilà le baiser de l'âme; là, la bouche rencontre la bouche; là, le Père donne naissance au Fils dans l'âme, et c'est là que l'âme est rejointe par la parole[45].

---

42. FIAND, p. 5.
43. Matthew FOX, *Breakthrough* (Percée), Garden City, N.Y., Image Books, 1980, p. 103.
44. *Ibid.*, p. 67.
45. *Ibid.*, p. 59.

La tendresse et la passion de ces passages sont frappantes. En écrivant sur Mechtilde de Magdebourg, précurseur d'Eckart, Sue Woodruff retrouve les mêmes thèmes:

> Elle aborde des thèmes aussi vieux que le livre de *Job,* les *Psaumes,* le *Cantique des Cantiques.* Ses écrits regorgent d'images de la lumière, du feu, de reflets, d'amour, de désir. Elle voit tant Dieu que l'âme dans ces images. Nous sommes l'étincelle, Dieu est le feu. Nous sommes le feu, Dieu est la lumière. Nous sommes la lumière, Dieu est la lune. Nous sommes la lune, Dieu est le soleil. Nous sommes le soleil, Dieu est amour. Nous sommes amour, Dieu est compassion. Nous sommes compatissants, nous ressemblons à Dieu[46].

L'appel des mystiques est un appel à la fidélité créatrice, à une réponse issue de la diversité des dons, dans un détachement complet, pour la gloire de Dieu. «Nous — corps, âme, mâle, femelle, jeune, vieux — nous reflétons la splendeur de la création. Nous sommes le terreau, l'humus où la semence de Dieu peut germer, s'enraciner et fleurir aujourd'hui[47].» Mais nous pouvons étouffer la semence et entraver l'effort créateur de Dieu. Si la vertu première de cette approche holistique de notre tradition est remise de soi à l'activité créatrice de Dieu en soi et au travers soi; si je suis appelée à l'abandon créateur — cet abandon des présupposés, des attentes et des préjugés personnels, afin de permettre à ce qui est d'être comme il est dans l'intention divine originale — alors le vice premier est justement le refus de répondre à cet appel. La volonté de puissance refuse de laisser Dieu être Dieu dans la création. Elle se ferme à celui qui donne

---

46. Sue WOODRUFF, *Meditations with Mechtild of Magdeburg* (Méditations en compagnie de Mechtilde de Magdebourg), Santa Fe, Bear & Co, 1982, p. 13-14.
47. *Ibid.,* p. 15

et se pose elle-même comme origine de sens, imposant des concepts, des projections personnelles et des interprétations sur les autres et même sur soi. J'appelle cela la *maladie cartésienne*: «*Je pense, donc cela est.*» Au lieu de laisser la divinité naître en ses profondeurs, on se l'impose et on l'impose aux autres; on domine le monde. «Pourquoi, se demande Eckart, certaines personnes ne portent-elles pas du fruit? C'est qu'elles sont trop affairées à se cramponner à leurs attachements égoïstes[48].»

Le renoncement à soi, le vide requis en vue d'une créativité authentique est un des thèmes les plus importants de l'Évangile. Pourtant il n'est jamais, je pense, recommandé simplement pour l'amour du vide lui-même, mais toujours en vue d'être comblé. Le vide du «sein virginal» a un sens pour la seule raison qu'il est prêt à recevoir la vie et à la rapporter dans le cœur de Dieu[49]. On se renonce pour se trouver — son intégrité, son authenticité, sa liberté — dans l'amour de Dieu.

Dans la pensée contemporaine, un écho de ces thèmes de l'amour divin et de l'abandon humain résonne en toute beauté dans la théologie de la grâce de Rahner. Pour celui-ci, la grâce est la présence vivante de Dieu — Dieu demeurant à l'intérieur de la personne humaine. Dieu est la destinée des êtres humains; leur est donnée une ouverture unique en ce sens dès l'instant de leur création. La présence de Dieu envahit tout leur être. Sans en être toujours conscients, ils sont transcendance, ouverture active à l'infini et à l'absolu.

> Dieu veut se communiquer lui-même [elle-même], prodiguer l'amour qu'il [elle] est lui-même [elle-même]. Tel est l'alpha et l'oméga de son plan réel et donc aussi du monde réel. Tout le reste existe pour que cette seule chose puisse

---

48. FOX, *Meditations*, p. 82

49. Bernhard WELTE, *Meister Eckhart*, Fribourg, Herder, 1979, p. 134.

exister: le miracle éternel de l'amour infini. Et ainsi Dieu fait une créature qu'il [elle] peut aimer: il [elle] crée l'homme [et la femme]. Il [elle] le [la] crée de telle façon qu'il [elle] puisse recevoir cet amour qui est Dieu lui-même [elle-même] et qu'il [elle] puisse et doive en même temps l'accepter pour ce qu'il est: le prodige éternellement étonnant, le don imprévu, indu[50].

Nous sommes en tout temps «interpelés et réclamés» par l'amour de Dieu. Nous sommes en fait créés pour lui — c'est l'amour qui nous projette dans l'existence par pur amour. Cet appel va bien au-delà d'une appartenance à une Église institutionnelle. Il appartient à l'humanité comme telle. L'autocommunication de Dieu est «offerte à tous et atteint son achèvement dans le Christ». Elle est «le but de toute la création». Elle scelle et détermine notre nature de telle sorte que la rejeter nous met en profonde contradiction avec notre être le plus intime. Lorsque nous nous acceptons en vérité et complètement, nous sommes sous la mouvance de la grâce de Dieu, car elle s'exprime déjà à l'intérieur de nous[51].

Rahner place l'expérience plus poignante de la grâce dans ces situations limite où l'appel de l'au-delà est ressenti de façon particulièrement aigu ici et maintenant.

La grâce est à l'œuvre dans l'expérience de désirs infinis, de l'optimisme radical, de l'insatisfaction tenace, du tourment face à l'insuffisance de tout ce qui est accessible, de la protestation devant la mort, dans l'expérience de la con-

---

50. Karl RAHNER, *Theological Investigations*, vol. 1, trad. de Cornelius Ernst, o.p., Londres, Darton, Longman & Todd, 1965, p. 310 (langage inclusif de B. Fiand) (trad. française: *Écrits théologiques*, tome 3, Paris, DDB, 1963, p. 24-25).

51. Karl RAHNER, *Theological Investigations*, vol. 6, trad. de Karl H. et Boniface Kruger, New York, Crossroad, 1974, p. 393-394 (trad. française: *Écrits théologiques*, tome 6, Paris, DDB, 1966).

frontation avec un amour absolu là où il est mortellement incompréhensible et semble aussi muet que distant, dans l'expérience d'une culpabilité radicale et d'une espérance qui ne lâche pas, et ainsi de suite. Ces éléments sont en fait tributaires de cette force divine qui pousse l'esprit créé — par grâce — vers son épanouissement absolu[52].

Une remarque d'Eckart nous revient à l'esprit: «Le visage de Dieu est capable de rendre fous tous ceux qui désirent le voir. En faisant cela, il attire toutes choses à lui. [...] Toute créature — qu'elle le sache ou non — cherche à y reposer[53].»

Mais cependant la volonté de puissance persiste et avec elle, le péché et l'aliénation. Notre refus de reconnaître la bonté dans laquelle nous sommes maintenus et de répondre avec abandon et gratitude nous a placés depuis le premier moment de la création en radicale contradiction avec nos racines, avec notre moi profond. Nous avons grand besoin de rédemption — de nous retrouver dans le Christ, l'amour incarné de Dieu. Tel est, en effet, notre salut: l'amour de Dieu parmi nous qui est venu nous indiquer la voie vers notre demeure dans le cœur de Dieu, qui est devenu humain pour que nous soyons divinisés — retournant dans notre propre profondeur où Dieu habite.

La spiritualité holistique voit que la vie éternelle est déjà commencée et toujours plus réaliste à mesure que nous entrons dans le Christ qui nous fait vivre. Ce qui importe, c'est la *vision* et le fait de *vivre de cette vision*. Avec les premiers chrétiens, nous voyons Jésus comme la Sagesse de Dieu, «l'enfant de la Sophia envoyé pour annoncer que Dieu est le Dieu des pauvres et de ceux qui peinent, des exclus et de ceux qui subissent

---

52. Roger HAIGHT, s.j., *The Experience and Language of Grace* (L'expérience de la grâce et son langage), New York, Paulist Press, 1979, p. 128.
53. FOX, *Meditations*, p. 86.

l'injustice[54]». Notre salut, en effet, se trouve dans la compassion. «Ceux qui suivent la compassion trouvent la vie pour eux-mêmes, la justice pour le prochain et la gloire devant Dieu[55].» Ils vivent dans la plénitude des temps. L'action rédemptrice de Jésus devait précisément nous le révéler. Sa souffrance et sa mort ne se comprennent pas en termes cultuels, comme expiation du péché, et les plus anciennes traditions ne le comprenaient pas ainsi, même si cette interprétation s'est rapidement imposée[56]. Le Dieu que Jésus est venu proclamer n'avait pas besoin ni ne désirait de restitution. «L'exécution de Jésus, comme celle de Jean, était la conséquence de sa mission et de son engagement en tant que prophète et envoyé du Dieu-Sophia[57]»; il ouvrait un avenir aux brisés et aux rejetés en offrant inconditionnellement à tous la bonté gratuite de Dieu. Jésus a été tué par les autorités de son temps à cause de la liberté et de l'intégrité à laquelle il appelait ses disciples. Quand la liberté rencontre le besoin de dominer, le pouvoir se lèvera toujours pour tenter de la faire disparaître.

Cette interprétation de la mort de Jésus n'enlève rien à son caractère rédempteur, pas plus qu'elle n'élimine l'idée que Jésus «a pris sur lui le péché», «qu'il est mort pour nos péchés» et ainsi de suite; car n'était-ce pas le péché qui l'a crucifié — la volonté de dominer, de tout maîtriser, d'opprimer — ce péché du monde qui devait être renversé? Et c'est ici aussi que se trouve le pouvoir de la résurrection, car en elle le péché et son pouvoir sont anéantis. Le prophète «abandonné» a été relevé et son message validé, à savoir que le Dieu-Amant aura gain de cause et que la liberté ainsi offerte au peuple de Dieu est réelle. Dieu nous a

---

54. SCHUSSLER FIORENZA, p. 135 (trad. fr., p. 206).
55. FOX, *Meditations*, p. 102.
56. SCHUSSLER FIORENZA, p. 130 (trad. fr., p. 200-201).
57. *Ibid.*, p. 135 (fr., p. 206).

aimés d'un amour éternel. Nous avons du prix à ses yeux; nous sommes ses bien-aimés; nous reposons dans la paume de sa main. Toute image d'un Dieu oppresseur avec la culpabilité qui s'en suit est morte avec Jésus. Dans les mots de Paul: «Nous avons été dégagés de la loi, étant morts à ce qui nous tenait prisonniers, de manière à servir dans la nouveauté de l'esprit et non plus dans la vétusté de la lettre» (*Rm* 7,6). Et plus loin: «La loi de l'Esprit qui donne la vie dans le Christ Jésus t'a affranchi de la loi du péché et de la mort[58].» (*Rm* 8,2)

Dans une méditation poétique sur la puissance rédemptrice de la résurrection, Sebastian Moore exprime ces pensées avec les mots d'un disciple qui a rencontré le Christ ressuscité à partir du vide créé par sa mort:

> Rétrospectivement, je pense que je l'ai vu *par* ce vide dont j'ai parlé, comme si ce vide donnait une sorte de deuxième vue. [...]

> Depuis lors, la vie a consisté à grandir dans cette vision. Non pas sans mots — ces mots nouveaux et excitants qui, nous le savons, modifient pour toujours l'univers religieux. Dieu est cet homme. Cet homme a fini par incarner tous nos espoirs et tous nos vides, et lorsque cet espace a pris vie, Dieu a pris vie. Dieu est cet homme en nous. [...] Nous sommes devenus cet homme, nous sentons avec son cœur et nous voyons avec ses yeux. Nous connaissons Dieu comme Esprit, comme le cœur qui fait l'équation entre Dieu et la vie, ce que nulle religiosité n'ose jamais complètement faire de peur de perdre contact avec la culpabilité.

---

58. Pour un bon exposé des dimensions de libération du christianisme en référence à la loi juive, voir Terrance CALLAN, *Forgetting the Roots* (L'oubli des racines), New York, Paulist Press, 1986, chap. 4.

C'est le fait maintenant! Tout est emporté par ce sang que nous buvons maintenant[59].

Dans le Christ Jésus, nous sommes pour la suite des temps *aimés*. Notre salut consiste à avancer de façon toujours plus authentique en cette vision et à l'incarner existentiellement dans la compassion.

Il est clair que la tradition patriarcale dualiste, à laquelle nous sommes tous habitués, peut trouver ces réflexions troublantes. Depuis les débuts de ses contacts avec le christianisme, cette tradition a insisté pour dire que notre rédemption devait être arrachée à une divinité irritée dont la colère devait être apaisée par un sacrifice humano-divin et que le crucifiement de Jésus a payé le «prix» de notre rétablissement dans la grâce divine. Vu ce sacrifice, nous avons interprété l'agonie du jardin, pour ne signaler qu'un exemple, non comme une lutte avec son intégrité personnelle devant la persécution, mais comme une lutte avec les décrets d'un patriarche. Ainsi avons-nous vu les portes du ciel s'ouvrir quand la dernière goutte de sang fut répandue en expiation. Il peut sembler difficile et troublant d'abandonner cette image, mais cela fait partie de la démarche pour repenser nos mythes. Nous devons plutôt nous demander si une telle interprétation, compte tenu de notre méditation sur la volonté salvifique de Dieu, est même plausible. Est-ce qu'un *Abba* peut demander le crucifiement? Aucun parent humain qui aime vraiment son enfant ne le ferait. Pourquoi alors devons-nous tordre notre compréhension de l'amour pour l'amener à une telle interprétation de l'amour de Dieu, et nous rassurer les uns les autres, devant le doute possible, en renvoyant le tout au «mystère divin dépassant notre expérience»?

---

59. Sebastian MOORE, *The Fire and the Rose Are One* (Le feu et la rose ne font qu'un), Londres, Darton, Longman & Todd, 1980, p. 86-87.

Dans un monde patriarcal dualiste, ultimement responsable de l'introduction en christianisme de la dimension cultuelle, l'expérience de la paternité est vécue dans le contexte du *paterfamilias*, lequel a droit de vie et de mort sur ses enfants. Ce n'est plus notre façon de concevoir la paternité. Pourquoi alors s'entêter à employer ces concepts à propos de Dieu? D'ailleurs, comme je l'ai suggéré plus haut, ce n'était même pas la façon de voir de Jésus qui peina si fort pour faire entrer l'amour et la tendresse de Dieu dans notre expérience. Si nous sommes portés par l'amour inconditionnel de Dieu depuis le moment de la création, pourquoi le Dieu des pécheurs serait-il différent du père du fils prodigue dans la parabole, ou du berger parti à la recherche de la brebis perdue, ou de la femme qui s'affaire à trouver une pièce de monnaie perdue (*Lc* 15), ou de ces nombreux exemples de pardon et de compassion que Jésus nous a présentés? Pourquoi Jésus nous aurait-il raconté ces histoires s'il ne cherchait pas à y donner une image de son Dieu? En analysant la parabole de l'enfant prodigue, Sandra Schneiders aborde directement cette question: «Dans la parabole du fils prodigue (*Lc* 15,11-32), Jésus présente la paternité de Dieu comme l'exacte antithèse du patriarcat.» Alors que le fils aîné, par son obéissance totale et sa loyauté, est le parfait représentant du régime patriarcal, «son plus jeune frère, en assumant son autonomie, s'est rebellé contre le principe même du patriarcat selon lequel il n'y a qu'un adulte par famille[60]». Selon Jésus, le père se range du côté de son jeune fils. Tout comme il a permis sa révolte antérieure et son désir d'aller de l'avant par lui-même, non seulement il se refuse maintenant à le punir mais en fait il se réjouit de son retour. Il rejette la requête de vengeance du fils aîné — un principe patriarcal — et ne veut pas «entendre» l'offre que lui

---

60. SCHNEIDERS, p. 46.

fait le fils plus jeune de réintégrer la maison en qualité de serviteur en compensation de son offense[61]. Le père voit son jeune fils comme il l'a toujours vu, comme son fils *bien-aimé*.

C'est l'amour de Dieu qui pardonne, et non le mal humain qui détermine la relation de Dieu avec l'humanité. Loin d'affirmer supériorité et privilège patriarcaux, le père semble reconnaître le plus jeune fils comme son égal, c'est-à-dire un adulte. Pour le père, le retour du fils à la maison, comme son départ, est un acte de liberté posé par un adulte. La relation entre eux n'en est pas une de domination offensée et de soumission d'un rebelle, mais celle de l'amour librement offert, demandant et acceptant l'amour en retour. Comme la femme qui entra chez Simon pour laver les pieds de Jésus (*Lc* 7,36-50), le fils prodigue est quelqu'un en qui l'amour repentant et l'amour qui pardonne se rencontrent au mépris total du modèle patriarcal de la justification par la loi[62].

Le Dieu de Jésus, notre Dieu, est amour et compassion infinis. Nous sommes attirés en Dieu par le Christ Jésus. À mesure que nous assumons la responsabilité de notre «christification» comme celle de notre monde, l'incarnation du Christ continue en nous. Notre vocation consiste à laisser Dieu être Dieu en nous, à nous défaire de notre volonté de domination dans un abandon reconnaissant. Voilà pourquoi Dieu s'est fait humain, pour nous montrer comment vivre, comment remplir notre destinée d'amants de Dieu et des autres, comment retrouver notre route vers l'authenticité. Dans la mort et la résurrection de Jésus, Dieu a triomphé de tout péché — du rejet délibéré de notre propre intégrité. Dans le Christ, tout retrouve son inté-

---

61. *Ibid.*
62. *Ibid.*, p. 46-47.

grité, tout redevient neuf. La spiritualité holistique nous invite à prendre cette Bonne Nouvelle au sérieux et à la faire nôtre.

Conclusion

Nous vivons un point tournant, nous vivons dans un temps de crise. Le dualisme de notre passé ne peut plus donner la vie, une tradition plus ancienne interpelle notre mémoire. Les questions: qui est notre Dieu, qui sommes-nous, comment pouvons-nous être authentiques, ne peuvent plus demeurer seulement spéculatives. Nous devons recréer nos mythes dans un engagement passionné de notre existence même. C'est à nous de choisir. Nous pouvons dépérir de sécheresse et mourir de déshydratation, ou faire face au défi de notre «petite maison tranquille», malgré la frayeur initiale que cela peut comporter, et ainsi nous engager dans une vie nouvelle.

Parcourir ce chapitre peut avoir été ardu à certains moments. J'espère n'avoir découragé personne. Je voulais simplement fournir une toile de fond pour les réflexions qui vont suivre sur la vie religieuse. Dans ma vie personnelle, dans mes études, dans mes réflexions, je n'ai jamais été aussi convaincue qu'aujourd'hui de la nécessité de faire des choix, personnels et communautaires, qui se basent sur des perspectives plus larges que le seul ici et maintenant, ou même sur les traditions et le mandat d'une communauté, si importants soient-ils. Aujourd'hui, nous formons un ensemble global et nous nous retrouvons dans un continuum espace-temps qui rend ridicules les simples décisions de cause à effet. Nous ne pouvons plus nous fier aux façons courantes de faire ou de voir les choses — aux courants, qu'ils soient psychologiques, théologiques ou sociologiques — sans sonder à fond leur «pourquoi». Nous ne pouvons pas non plus nous contenter de décisions provisoires dans le seul but de faire notre boulot sans considérer les implications plus larges.

Vivre notre baptême par le chemin des vœux aujourd'hui, nous amène bien au-delà des règles ou constitutions qui nous affectent personnellement et communautairement. Notre existence même est en jeu: est-il possible de vivre l'Évangile et de s'accomplir personnellement dans un engagement religieux. Est-ce que des femmes et des hommes peuvent devenir pleinement humains en étant membres d'une communauté religieuse dans ce vingtième siècle finissant? Est-ce que notre vie est une option chrétienne valable pour notre temps? Sans une perspective d'ensemble de la crise qui touche la vision du monde de notre siècle en général et la compréhension de soi des chrétiens en particulier, je ne crois pas qu'on puisse répondre à ces questions ni adéquatement ni pertinemment, quelle que soit la force avec laquelle on croit à une réponse affirmative. Dans ce chapitre, les considérations sur le dualisme et sur une possible réponse holistique chrétienne voulaient nous préparer à cette tâche; il s'agissait d'apporter le terreau où chercher le trésor enfoui. Nous nous tournons maintenant vers la tâche plus précise de réfléchir sur la vie selon les vœux dans un temps de changement.

Questions pour la mise au point, la réflexion et la discussion

1. La vie religieuse de nos jours souffre-t-elle de ce que Jean Shinoda Bolen qualifie d'«état de sécheresse»? Comment?

2. Dans votre expérience de notre culture, de notre Église et de notre vie religieuse, pouvez-vous identifier la relation existant entre le dualisme, la hiérarchie et le patriarcat?

3. Comment réagissez-vous devant l'invitation à approfondir nos mythes? Êtes-vous enthousiastes ou craintifs? Pourquoi?

4. À quel modèle de spiritualité, dualiste ou holistique, pensez-vous appartenir? Pourquoi?

5. Dans votre expérience personnelle, avez-vous déjà rencontré une situation limite? Les descriptions de Bernard Bolen et de John Shea sont-elles adéquates?

6. Comment réagissez-vous à l'enseignement du mouvement de Jésus originel et à la compréhension de l'Église comme *basileia*?

7. Votre attitude à l'endroit des dogmes et de la doctrine de l'Église a-t-elle été affectée par cette analyse du mouvement missionnaire dans l'Église primitive et de l'impact de la métaphysique grecque sur la formulation de nos croyances? Si tel est le cas, comment?

8. Dans le modèle holistique, qu'est-ce qui est le plus difficile à accepter? Qu'est-ce qui est le plus libérateur?

2

D'abord la vision

Dans le premier chapitre de son livre, *The Wisdom of Accepted Tenderness* (La sagesse de la tendresse acceptée), Brennan Manning explique que «tous les changements dans la qualité de la vie d'une personne doivent découler d'un changement dans sa vision de la réalité[1]». L'approche holistique de la spiritualité présentée dans les pages précédentes tentait justement d'offrir un nouveau paradigme, une vision alternative de la réalité, vision différente de celle qui a moulé nos conceptions depuis des siècles.

1. Le règne de Dieu est réalisé au milieu de nous, avons-nous dit, et cependant il est encore en devenir, nous appelant à l'accepter et à entrer dans la plénitude des temps.

2. La communauté chrétienne est faite de disciples égaux, d'amis, qui tous sont aimés et dotés de dons variés pour la gloire de Dieu.

---

1. Brennan MANNING, T.O.R., *The Wisdom of Accepted Tenderness* (La sagesse de la tendresse acceptée), Denville N.J., Dimension Books, 1978, p. 11.

3. La création toute entière est sainte et doit être traitée comme telle.

4. Nous sommes la brèche où se manifeste l'activité créatrice de Dieu et nous sommes appelés à y répondre avec abandon et gratitude.

5. Le péché originel consiste dans le refus de cet appel, de cet héritage. Il est la volonté de puissance, la volonté de domination.

Il s'agit maintenant de voir comment ce nouveau paradigme, cette vision alternative, peut affecter la qualité de notre vie comme religieux, de voir ce qu'il peut nous offrir et ce qu'il nous demande de laisser tomber dans notre effort pour trouver un sens à nos vœux et à la vie religieuse qui en découle.

La plupart d'entre nous reconnaîtrons, je pense, que la vision dualiste de notre passé récent a créé en nous une tendance à réduire toute réflexion sur les vœux à l'identification et à l'explication de ce que nous avons promis et en conséquence à ce que nous faisons ou ne faisons pas pour vivre selon les conseils évangéliques ou la «vie consacrée». Nous nous souvenons trop facilement, j'en suis sûre, du détail des règles que nous avons apprises durant nos premières années de formation et qui nous tracassent encore de temps en temps. Dans nos constitutions actuelles, «approuvées», une bonne partie des prescriptions du droit canonique concernant la hiérarchie dans le gouvernement et la disposition des biens rappelle cette mentalité et cette vision dualistes. Toutefois, à l'intérieur d'une vision holistique, notre préoccupation va bien au-delà des «devoirs» de *faire* quelque chose et nous invite plutôt à sonder *qui* nous sommes en tant que consacrés et *comment* nous le sommes. Dans une telle perspective, la question porte sur le sens de la vie consacrée. La vie selon les vœux est considérée comme une manière d'*être*, une disposition; la dimension «commandements» ou «prohibitions» est reléguée au second plan dans la reconnaissance confiante que celle-ci doit découler de celle-là ou finir par périr par manque d'énergie et de motivation. Une manière d'être semblable en effet ne peut être imposée de l'extérieur et demeurer source de vie.

Nous ne sommes plus mis à part

Qu'est-ce alors que la consécration par les vœux? Au point où nous en sommes dans nos réflexions, il devient clair que le paradigme holistique ne peut s'accorder avec l'idée d'une consécration signifiant «avoir été mis à part» ou un style de vie qui promeut cette conception. Parce que Jésus est venu proclamer la sainteté de toute la création et, en conséquence, de tout être humain, parce qu'il a affirmé de cette façon le mandat universel de glorifier Dieu en étant simplement *qui nous sommes*, il n'y a pas lieu d'être mis à part. Le monde en tant que percée de l'énergie créatrice de Dieu est sacré. Par l'Incarnation, Dieu nous a montré qu'il n'y a pas de division entre le monde d'ici et le monde d'en haut. Comme Dieu est devenu humain, les humains entrent dans le divin. Il n'est donc pas nécessaire pour un individu ou un groupe d'être consacré — au sens d'être rendu «supérieur» — afin de combler l'abîme existant entre le sacré et le séculier. Nous sommes tous appelés à la solidarité, à l'intimité même, avec Dieu dans le Christ; appelés en conséquence à habiter le cosmos. Sandra Schneiders exprime très bien cette nouvelle vision:

> Dans les Synoptiques, Jésus répète que rien dans la création ne demeure profane. Rien ne doit donc être mis à part, mais seulement être employé correctement (cf. *Mc* 7,1-23). Le sabbat est fait pour les humains, non les humains pour le sabbat (*Mc* 2,27). Le voile du Saint des Saints est déchiré

59

alors que les hommes et les femmes sont attirés dans le cœur de Dieu par le sacrifice de Jésus (*Mt* 27,51). Un simple repas d'amitié entre Jésus et ses disciples remplace tous les sacrifices.

[...] Dans la communauté du Nouveau Testament, la consécration n'implique aucune séparation ni supériorité. [...] Être consacré signifie être saint, être uni à Dieu dans l'amour répandu dans nos cœurs par l'Esprit Saint de Jésus (cf. *Rm* 5,5) [...] Nous avons été envoyé dans le monde à la façon dont Jésus l'a été: pour y apporter le salut en solidarité avec ceux à qui nous sommes envoyés, et non en nous séparant d'eux[2].

Les vœux, en conséquence, ne peuvent plus être interprétés comme rendant plus sacré ce qui l'est déjà. Ils ne peuvent signifier quelque chose de différent de ce que Jésus a déclaré de toute la création. Toute vie est sainte; il serait alors plus juste de comprendre les différentes vocations comme des appels complémentaires à incarner cette sainteté dans des contextes variés et à y témoigner d'elle, plutôt que de les envisager comme «au-dessus ou au-dessous l'un de l'autre» sur une échelle graduée. À la lumière de notre approche holistique, il sera éclairant de voir les vœux religieux comme on voit les vœux conjugaux; les deux donnent une forme particulière à la consécration baptismale et constituent une manière particulière de la vivre[3]. Ainsi, par notre choix de vivre le célibat en communauté, dans le partage et l'écoute, nous amenons notre consécration baptismale à sa

---

2. Sandra SCHNEIDERS, «Evangelical Equality: Religious Consecration, Mission, and Witness» (L'égalité évangélique. Consécration religieuse, mission et témoignage), dans *Spirituality Today* 39,1 (printemps 1987), p. 61.

3. *Ibid.*, p. 62.

maturité d'une manière différente, mais en aucune façon supérieure, par rapport à ceux qui choisissent de la vivre autrement.

Les religieux et les autres chrétiens sont également appelés à témoigner de l'amour infini de Dieu, mais la richesse de ce mystère requiert une variété d'expressions. Le témoignage que les chrétiens sont appelés à donner ne se distingue pas par sa place sur une échelle d'excellence comparée, mais par les aspects du mystère de l'amour divin qui vient à l'expression dans leur différent style de vie. Le témoignage de chaque vocation chrétienne est riche mais limité; en conséquence, un témoignage adéquat du mystère de l'amour divin ne peut être donné que dans la réciprocité et la complémentarité[4].

Vu notre finitude constitutive, aucun de nous ne saurait contenir entièrement ni rendre témoignage totalement à la richesse de Dieu dans la création. Alors même qu'il vit son appel dans l'authenticité, chacun de nous demeure une expression partielle, bien que valide, de cette manifestation multidimensionnelle de Dieu se révélant dans le Christ.

La vision présentée ici se rapporte directement à la *basileia* du mouvement de Jésus originel dont nous avons parlé dans le chapitre précédent. En tant que chrétiens, nous sommes une communauté d'égaux devant un Dieu d'amour qui nous a munis de dons divers mais complémentaires et nous appelle à les mettre au service les uns des autres dans la gratitude et la louange. «L'humilité par laquelle nous nous rendons compte à la fois de nos limites et de nos dons nous amène à apprécier la complémentarité du témoignage dans l'Église[5].» Les distinctions dualistes qui surgissent facilement du besoin d'être le «meilleur»

---

4. *Ibid.*, p. 62-63.
5. *Ibid.*, p. 64.

aux yeux de Dieu céderont la place à la célébration authentique, alors que, pour employer les mots de Sandra Schneiders, «nous nous réjouirons de la pauvreté partagée qui nous établit à la dernière place» et nous rend solidaires de tous les chrétiens, de Jésus lui-même, «qui est au milieu de nous, doux et humble de cœur, comme celui qui sert[6]».

Il est intéressant de noter les implications de cette perspective pour le ministère et pour la mission, ainsi que pour la vie en communauté, surtout en ce qui concerne le gouvernement et l'incorporation des nouveaux membres. Pour commencer, il semblerait que les religieux qui acceptent réellement la «communauté d'égaux» auront moins de difficulté à se détacher d'œuvres traditionnelles de la communauté et accepteront, favoriseront même, la naissance d'une Église qui transcende les distinctions entre laïc, religieux et clerc, une Église où les gens serviront dans la fidélité à leurs talents et non à leur «état». Après tout, les écoles et les hôpitaux catholiques ne sont pas plus catholiques du fait que ce sont des sœurs, des frères ou des prêtres qui les dirigent ou qui y travaillent. Les catholiques n'ont pas l'exclusivité de ce qui est vraiment chrétien. «Une séparation pour se défendre du monde et la conviction inconsciemment prétentieuse d'occuper une place spéciale dans l'Église, comme le dit Sandra Schneiders, doivent céder la place à l'acceptation de tout ce qui est humain afin de favoriser la solidarité — non seulement avec les chrétiens mais avec tout le monde[7].»

L'accueil et la formation de nouveaux membres dans la vie religieuse seront aussi modifiés lorsque la vision d'une communauté d'égaux, la vision de la *basileia*, aura vraiment prise sur nous. J'espère m'attaquer à ce problème plus loin. Qu'il suffise

---

6. *Ibid.*
7. *Ibid.*, p. 64-65.

pour l'instant de dire que la communauté d'égaux commence dès la première lettre de demande écrite par le nouveau membre et dure pendant les nombreuses années d'initiation et de formation jusqu'aux vœux définitifs, et au-delà. Toutes les formes d'exclusivisme et d'élitisme, des plus subtiles aux plus criantes, devront être examinées critiquement et à fond. Ce qui n'est pas une tâche facile, car la plupart d'entre elles sont cachées dans la structure même de la formation. Presque partout en effet, on se heurte à la mentalité hiérarchique qui nous suit, en tant que phénomène culturel, depuis des millénaires.

Au plan symbolique, peut-être se rendrait-on mieux compte du passage requis d'une incorporation de type dualiste à une autre vraiment holistique, si on comparait les rites d'initiation des garçons dans les cultures primitives au processus de maturation plus organique des jeunes femmes dans ces mêmes cultures. Des personnes n'ont pas besoin d'être mises à l'épreuve pour prouver leur appartenance et leur aptitude — même si on a dû «passer par là» quand on était soi-même novice! La grâce d'être fait pour la communauté et la vie religieuse (comme l'était le don de parvenir à l'état de femme adulte dans les sociétés primitives) se trouve au-dedans de la personne et se manifeste en temps voulu. Notre développement, s'il est authentique, est organique — venant de l'intérieur, suivant le cycle de notre propre croissance. Il n'a pas à être imposé ou éprouvé artificiellement, mais demande à être nourri dans un milieu communautaire sensible à ce besoin. De plus, nous ne pouvons plus exiger des nouveaux membres ce que nous ne sommes pas prêts à vivre nous-mêmes. Ni le nombre d'évaluations, ni l'autorité extérieure si subtile ou déguisée soit-elle, n'y pourra rien. Quand on nous demande: «Ami, où demeures-tu?», nous devons répondre comme Jésus: «Venez et voyez.» Et ce qu'ils voient devra être *qui nous sommes — nous tous.* Aucun responsable, aucune communauté triée sur le volet, ne peuvent offrir le modèle de la vie religieuse idéale que les membres ne vivent pas. Personne, à vrai dire, ne devrait se présenter comme un modèle de ce que les gens vivent, car c'est tous ensemble que nous vivons, en co-responsables. C'est la communauté (nous tous, non un groupe choisi) qui doit les accueillir, en paroles et en actes, car c'est avec la communauté qu'ils vivront jusqu'à la fin de leurs jours. La mentalité de «serre chaude» durant la formation initiale ne présente plus la communauté, pas plus qu'elle n'est capable d'interpeller les membres à devenir frères et sœurs de ceux qui viennent se joindre à eux.

Depuis quelques années, nous avons beaucoup fait pour rencontrer la crise des vocations dans nos congrégations. Je suis personnellement au courant de ces efforts puisque j'ai été professeur dans un des programmes de noviciat intercommunautaire dans le *Mid West* où je me suis trouvée en relation avec de nouveaux membres durant quelque sept années. N'étant pas membre d'une équipe de formation et me trouvant de ce fait dans une position d'observateur, j'ai eu l'impression que plusieurs de nos toujours changeantes politiques de formation ressemblaient plus à des tentatives désespérées de rapiéçage qu'à des révisions vraiment révolutionnaires et holistiques. Si nous voulons repenser la vie religieuse selon les requêtes d'un changement de modèle de l'ampleur suggérée ici, nous ne pourrons nous contenter de demi-mesures. Rappelons-nous Brennan Manning: tout changement authentique dans la qualité de nos vies doit naître d'un changement dans la vision de la réalité. Nous devons retourner aux racines. Or nos racines les plus profondes se trouvent en revêtant l'esprit et le cœur du Christ Jésus et en embrassant la vision fondatrice de sa *basileia*.

La vision où tous sont munis de dons et appelés à être témoins de façon complémentaire dans une communauté d'égaux aura des effets sur le gouvernement des communautés;

ces effets pourtant sont assez complexes et susceptibles d'être mal interprétés. Un chapitre ultérieur sur l'autorité et l'obéissance étudiera ce problème en profondeur; une simple mise au point devrait suffire pour l'instant. Nous savons tous qu'être munis de dons dans une communauté d'égaux ne signifie pas que tous sont pourvus également. De même que nous sommes tous appelés mais que cela ne signifie pas que nous soyons tous appelés au même style de vie ou au même ministère, ainsi nous sommes tous pourvus de dons mais nous n'avons pas tous les mêmes. Le leadership, le pouvoir conféré par le groupe de veiller à sa propre vocation, est un don. Et c'est un don nécessaire quand un groupe se forme en vue d'un objectif commun. Le discernement des dons en vue du bien du groupe est une responsabilité communautaire et le choix du responsable devrait être précisément de cet ordre. Nos dons nous sont donnés pour servir. En conséquence, l'autorité ne s'oppose pas à une communauté d'égaux, mais elle doit être considérée par le groupe comme un appel au service plutôt que comme une montée en grade. Et ces observations ne devraient pas non plus être considérées comme un retour à une conception hiérarchique, retour masqué par l'écran de fumée du mot «service». (Les «hiérarques», après tout, ont été les «serviteurs des serviteurs de Dieu» depuis des siècles). Ceux qui se tiennent sous la mouvance de l'action de Dieu savent au plus haut point que toute vie doit consentir au renoncement à soi pour venir à la liberté. Ils se tiennent dans la liberté de leur propre autorité intérieure qui dirige leur vision et, à partir de cette vision, toutes leurs actions en vue de servir et de se conférer mutuellement le pouvoir, vivant ainsi leur appartenance au corps. Ils appellent et se laissent appeler à différents niveaux d'engagement communautaire. La diversité des dons ne signifie pas la hiérarchie des dons, il n'y a donc pas non plus de hiérarchie des services.

Même si tout cela semble évident et que la plupart d'entre nous avons dit ou entendu des choses semblables, il reste que la mise en pratique de cette vision est toujours entachée d'un hiérarchisme dualiste caché. Par exemple, quelle raison se trouve derrière le besoin apparent de plusieurs communautés d'ouvrir à tous leurs membres les charges, les conseils d'administration, les comités, les groupes de travail — de les ouvrir à tous les volontaires qui désirent «servir»? Cette politique tend à éliminer tout discernement significatif des dons — tout discernement et tout appel de la part du groupe. Serait-il possible qu'un motif caché et souvent inconscient de cette politique réside dans un sentiment d'infériorité et un besoin d'inclusion de la part des membres, motif associé à un ressentiment à l'endroit de ceux qui ont vraiment un don pour tel ou tel de service et dont la présence — même sur demande — risquerait d'engendrer de l'élitisme? Les personnes douées pour servir dans différents domaines, tels la vie communautaire, l'élaboration des politiques, l'animation et ainsi de suite, peuvent évidemment remplir ces responsabilités de façon plus rapide et efficace, mais elles sont moins nombreuses que les volontaires; elles en *paraissent* donc spéciales. Ceci est dû principalement au fait que dans un paradigme dualiste, en vertu d'une abstraction mal placée, la valeur d'une fonction rejaillit sur la valeur de la personne qui l'accomplit, élevant ou abaissant la dignité de l'individu en proportion. L'égalité des personnes est vue comme dépendante du droit de tous de tout faire, sans égard aux dons de chacun. Puisque nous sommes tous appelés, dit l'argument, nous devrions être autorisés à faire tout ce pour quoi nous nous portons volontaires. C'est souvent le chaos et non la véritable participation qui est la conséquence d'une telle façon de penser, et l'insuffisance du service qui en résulte fait que l'œuvre ou le comité s'effondre de l'intérieur et qu'il n'y a finalement plus de service du tout.

Un des éléments essentiels d'un modèle holistique, c'est la conviction intime que Dieu se révèle dans la diversité et qu'un discernement de cette présence, tant personnel que communautaire, est requis pour développer une créativité authentique et nourrissante. Cette vision est magnifiquement décrite par Béatrice Bruteau lorsqu'elle appelle notre culture à une révolution de la conscience, à une «conscience participative», comme elle la nomme:

> Lorsque j'aime avec une conscience participative, je me rends compte que «l'autre» *est* en partie mon énergie vitale se trouvant là chez lui et que «je» est en partie l'énergie vitale de l'autre se trouvant ici en moi. Je ne puis plus désormais diviser le monde entre «nous» et «eux». Je deviens attentive à une vie plus ample circulant en tous. D'une certaine façon, mes frontières sont devenues moins définies, c'est-à-dire moins fermes, moins scellées. Mon moi est devenu rayonnant, jaillissant de l'intérieur; il se trouve dans sa participation à l'autre tout comme il se trouve en moi. Pourtant, je ne suis pas engloutie par une totalité englobante dans laquelle mon identité serait dissoute. La vie créative est à tous égards aliment et protection de la liberté et de l'identité personnelles. C'est précisément parce qu'une personne prise comme un tout est absolument unique qu'elle transcende toutes les catégories par lesquelles voudrait la définir une pensée abstractive. La vie plus ample dont je fais partie est une communauté de *moi* uniques et complets qui forment librement cette ample vie unifiante par l'intercommunication de leur énergie amoureuse créatrice. Ainsi, loin d'être absorbée ou dissoute, je sens qu'étant membre de cette communauté, ma présence intérieure à moi-même, mon être intérieur même, est plus

intense et plus claire, au sens où elle est plus lumineuse et plus vraiment «moi»[8].

Il est évident que rien de moins qu'une révolution de la conscience ne produira cette espèce de déplacement des perceptions qui défie autant la jalousie, l'envie, l'opposition excessive, l'autoritarisme que la servilité. En d'autres termes, rien de moins qu'une révolution de la conscience nous aidera à célébrer vraiment et sans équivoque notre caractère unique et nos dons tout en reconnaissant notre besoin des services des autres parmi lesquels se trouve celui de l'autorité authentique — non le plus grand de tous, mais un parmi d'autres.

Les trois exemples présentés plus haut, même si je les ai abordés brièvement, visent à illustrer le dépassement du dualisme requis par un paradigme holistique. Dépassement de la dichotomie entre sacré et séculier, entre religieux et laïc; dépassement de la division entre «ceux qui appartiennent» au groupe et «ceux qui veulent y appartenir», entre profès et novices; dépassement de la division entre «supérieur» et subordonnés. Je reviendrai sur plusieurs de ces questions plus tard; il suffit de signaler pour l'instant que le dépassement ne signifie en aucune façon «se débarrasser» ou «éliminer» ce qui est dépassé. Le dépassement authentique assume ce qu'il dépasse et le transforme. Ainsi, le séculier n'est pas éliminé, mais reconnu dans sa sacralité, dans son appartenance au saint, au tout: «Car tout est à vous [...], soit le monde, soit la vie, soit la mort, soit le présent, soit l'avenir. Tout est à vous; mais vous êtes au Christ, et le Christ est à Dieu.» (*I Co* 3,21-23) Dans cette citation de la lettre aux Corinthiens, le dépassement ne se fait pas par rapport au

---

8. Beatrice BRUTEAU, «Neo-Feminism and the Next Revolution of Consciousness» (Le néo-féminisme et la prochaine révolution de la conscience), dans *Anima*, 3,2 (printemps 1977), p. 11-12.

monde lui-même mais à ce qui est «mondain» — la vantardise, la volonté de puissance. Les religieux dans la société contemporaine ne fuient pas le monde. Aujourd'hui, on parle d'«immersion». Comme le dit Eckhart, nous sommes appelés à être libres dans le monde, libres pour le monde, tout autant que libres de lui — de son attraction, de sa domination[9]. Le dépassement ne se trouve pas dans la volonté de puissance, mais dans la volonté de s'abandonner; pas dans la fuite, mais dans l'étreinte et la transformation.

Passons au deuxième exemple présenté plus haut. Je ne nie pas, encore une fois, que celui qui veut appartenir au groupe est dans une situation différente de celui qui y appartient déjà, en l'occurrence le nouveau membre par rapport au membre ancien. Je suggère simplement de dépasser les attitudes corrosives qui apparaissent quand on fait du dualisme un absolu. Ce dépassement se fait par un accueil authentique, soutenu et communautaire, par l'humilité de la «pauvreté partagée», de l'effort *ensemble* vers la sainteté en vivant les conseils évangéliques en communauté, par la reconnaissance de la contribution d'un chacun et de la légitimité des besoins ressentis, par la responsabilité mutuelle.

Enfin, la distinction entre les dons et la reconnaissance du don de leadership en particulier n'est pas abolie dans l'approche holistique de la communauté et de son gouvernement. Nous accueillons la sagesse du passé même quand nous dépassons notre passé, car il n'est pas de période de l'histoire sans saisies profondes. Pourtant, les abus du syndrome «supérieur-inférieur» et l'élitisme déplacé de notre structure mentale dualiste sont surmontés. Le dépassement consiste dans la reconnaissance, la célébration des dons variés et dans la vision de l'appel de chacun

---

9. Bernhard WELTE, *Meister Eckhart*, Fribourg, Herder, 1979, p. 176.

à servir. Notre passion s'adresse au tout, au saint. Nous cherchons le Règne de Dieu, non pas le nôtre. Encore une fois, nous insistons pour dire que l'approche holistique comme telle ne s'oppose pas au dualisme, comme si l'on faisait face à une simple contradiction logique où la vérité d'une prémisse éliminait la possibilité de l'autre. En fait, l'approche holistique n'emploie pas la logique comme langage essentiel et se trouve à l'aise avec le paradoxe. Elle sait que la pure opposition ne conduit jamais au dépassement, mais se laisse plutôt piéger dans une atmosphère de conflit. Il y a, en conséquence, dans cette approche, un refus d'une opposition excessive (même si les distinctions sont maintenues et la diversité célébrée). Elle accepte les catégories du passé dans la mesure où elles favorisent la vie et la créativité, mais évite d'en faire un absolu. Elle voit seulement avec des yeux différents.

Primauté des dispositions intérieures

Jusqu'à présent, j'ai surtout insisté sur ce qui, dans une vision holistique de la vie consacrée, n'est plus acceptable et doit être dépassé. Ce qui a amené à réfléchir sur la réaction holistique au dualisme à partir d'exemples montrant comment une telle réaction peut affecter notre vision, les décisions qui en découlent et nos conduites dans des domaines plus précis de la vie religieuse. La question que nous abordons maintenant nous ramène au début de ce chapitre; il s'agit de nous demander plus directement comment nous pouvons donner forme, en tant que religieux, à notre consécration baptismale. Un souci particulier anime cette recherche: notre appel à rendre gloire à Dieu en devenant pleinement vivants. Comment la vie religieuse mène-t-elle à la plénitude en tant que personne? Comment pouvons-nous remplir notre engagement baptismal d'aller vers une maturité pleine et entière, et revendiquer ainsi, par les vœux que nous faisons, une complémentarité avec le mariage sacramentel?

Devant ce genre de questions, je constate que le désir d'apporter des réponses amène souvent à revenir aux prescriptions et aux interdictions. Il est intéressant de noter, par exemple, comment en élaborant nos nouvelles constitutions et nos directoires, plusieurs membres se sont impliquées vraiment et ont fait un réel effort pour exprimer notre vécu — une sorte de testament existentiel disant *ce que nous sommes*. D'autres, pourtant, ont senti le besoin d'une plus grande précision et ont insisté là-dessus. Pour une raison quelconque, chaque fois que nous voulons sonder ce que nous sommes et comment nous vivons, certaines d'entre nous semblent plus en sécurité si nous pouvons nous appuyer sur des pratiques détaillées, si nous pouvons avoir le mode d'emploi des vœux écrit en noir sur blanc quelque part. Nous pensons souvent que la vie religieuse «marcherait» mieux — peut-être même qu'elle attirerait davantage de membres — si tout était bien clairement mis par écrit. Évidemment, par la même occasion, nous pourrions voir qui est vraiment pauvre, chaste, obéissant.

J'ai l'impression que dans plusieurs de nos échanges sur ces questions l'accent est mis trop fortement sur l'*action*. D'une façon, nous semblons oublier que l'authenticité de l'action est directement proportionnelle aux dispositions qui l'inspirent. Si les dispositions ne sont pas nôtres, l'action non plus. Celle-ci en effet peut devenir automatique, forcée, accomplie par manipulation — «jouant le jeu», comme on dit — mais à moins que ce que je fais ne surgisse de ce que je suis, ne surgisse de l'intégrité de mon *être*, l'action n'est pas mienne. Nous avons affaire ici à des questions de maturité qui, comme on le verra plus loin, sont intimement reliées à l'obéissance authentique. Pour l'instant, laissez-moi simplement redire qu'un choix mûr et personnel découle d'une vision, de perceptions et de dispositions mûres et personnelles. L'un ne va pas sans l'autre. Si donc nous passons

71

beaucoup de temps à discuter de ce que nous faisons, devons faire, décidons de faire ou de ne pas faire, nous gaspillons des énergies précieuses, à moins que ces discussions ne se situent à l'intérieur d'attitudes déjà formées qui fondent nos résolutions et nos actions. D'ailleurs, cela ne donne pas grand-chose de se rencontrer pour s'entendre d'abord sur les attitudes. Dispositions et attitudes ne s'atteignent pas par consensus. Elles émergent d'une saisie qui nous est donnée par grâce et qui alors jaillit de nous. Elles pourraient être découvertes dans un dialogue honnête, mais ne peuvent pas être voulues, décidées ou changées tant par persuasion que par décret. «Quand une saisie arrive, nous dit Heidegger, nous sommes frappés dans notre être même par l'éclair lumineux de l'Être. Dans la saisie, nous sommes *nous-mêmes contemplés*[10].» Les dispositions et les attitudes naissent dans une personnalité. Elles sont intrinsèquement reliées au processus de maturation. Il est difficile d'exprimer ou d'articuler une disposition qui est en train de changer. Elle apparaît *en* nous plutôt qu'elle n'est formulée *par* nous. Il s'agit d'un événement — dans le sens précis de «venir de», d'«advenir» — qui illumine toute notre personnalité de l'intérieur. Il arrive même qu'elle nous surprenne quand nous la rencontrons: «J'avais l'habitude de voir les choses de cette façon, mais plus maintenant, et je ne sais pas vraiment pourquoi», dirons-nous, perplexes devant ce changement et son origine.

On pourra évidemment soutenir que l'appartenance à une congrégation particulière ou même à la communauté chrétienne présuppose ces dispositions sur lesquelles les actions seront fondées. Mais s'il y a là une part de vérité, ce que cet énoncé ignore, c'est précisément la croissance holistique. Les bébés aussi sont

---

10. Martin HEIDEGGER, *Die Kehre*, Pfullingen, Günther Neske, 1962, p. 45 (italiques de B. Fiand)

baptisés et donc membres de la communauté chrétienne. Ce seul fait témoigne (même si la chose est souvent méconnue dans un système dualiste) de degrés d'ouverture dans notre cheminement vers Dieu. Après le long exposé du chapitre premier sur les changements de paradigme, il devrait être évident que tous les chrétiens ne voient pas les mêmes réalités de la même façon. Et les religieux ne font pas exception à la règle. La croissance en profondeur varie. Même un charisme commun ne change rien à ce fait. La diversité dans la vie religieuse, dans les façons de voir, dans les valeurs et finalement dans le style de vie est un sujet délicat mais aussi une réalité.

Comment envisager ces questions? Que peut-on dire des vœux que nous prononçons et du style de vie que nous embrassons pour nous conduire à la pleine maturité? Il semble bien que toute tentative pour parvenir à une précision initiale aboutit à un échec. Si la discussion sur les activités — sur ce que nous faisons et devrions faire — est inutile à moins de tenir compte et de respecter les dispositions préalables et si ces dispositions sont grâce plutôt que choix, apparaissant dans le temps plutôt que se laissant programmer, alors il ne semble pas qu'il reste grand-chose à dire. Et c'est peut-être exactement ce qu'il faut. Peut-être est-ce précisément en ne disant rien, en faisant silence et en écoutant au cœur de ce silence, que l'on commence à voir clair dans ces questions. Une exhortation de Karl Rahner me revient à l'esprit; elle fut écrite durant les années soixante-dix dans un court essai intitulé: «Faire l'expérience de Dieu». On y trouve ce qui pourrait facilement servir de leitmotiv, de chant-thème, pour ainsi dire, dans une réflexion en profondeur sur les vœux.

Arrêtez-vous pour une fois. Ne vous tracassez pas de tant de choses aussi complexes que variées. Laissez aux *réalités plus profondes* de l'esprit une chance de monter à la surface: le silence, la peur, le désir ineffable de vérité, d'amour, de communion, de Dieu. Affrontez l'isolement, la peur, la mort imminente! Laissez ces expériences humaines fondamentales *occuper la première place*. N'en parlez pas, n'élaborez pas de théories à leur propos, *portez simplement ces expériences de base*. [...]

Si nous n'apprenons pas lentement de cette façon à entrer de plus en plus dans la compagnie de Dieu et à nous ouvrir à lui [elle], si nous ne tentons pas constamment de réfléchir sur ces expériences premières de la vie — qui ne sont ni voulues ni provoquées — et à partir de là de les comprendre plus explicitement dans les activités religieuses de méditation et de prière, dans la solitude et la patience envers nous-mêmes, [...] alors notre vie religieuse est et demeure réellement de caractère second et son expression conceptuelle et thématique est fausse[11].

Que signifie vivre les vœux, consacrer sa vie dans l'esprit de pauvreté, de célibat chaste, d'obéissance? Qu'est-ce qui nous est arrivé le jour où nous avons exprimé notre engagement envers Dieu en présence de la communauté? De quelle façon attendions-nous que nos vies soient changées par cet engagement, et changent-elles à cause de lui?

«Arrêtez-vous pour une fois», nous exhorte Rahner. Laissez aux «réalités plus profondes» une chance de monter à la surface: silence, peur, solitude, désir de vérité, d'amour, de communion, de Dieu. N'élaborez pas de théories sur elles. Faites-en plutôt l'expérience; faites l'expérience de vous-mêmes, de l'autre, dans la profondeur de ce que vous êtes, car sans cela votre vie est de la frime, alors qu'*en elle* l'absolu vous attend.

---

11. Karl RAHNER, *The Practice of Faith* (La pratique de la foi), New York, Crossroad, 1983, p. 63 (italiques et langage inclusif de B. Fiand).

Une question s'est faite toujours plus pressante pour moi durant ces dernières années, et c'est précisément le rapport entre ces réalités «plus profondes» et les vœux. Je me demande depuis un certain temps, et la réflexion de Rahner sur l'expérience de Dieu a rendu cette interrogation plus aiguë, je me demande si nos efforts communautaires ou ecclésiaux pour identifier, articuler, clarifier, énumérer et définir les *comment* et les *quoi* de notre consécration ne nous conduisent pas dangereusement près d'en perdre le cœur, l'âme.

Rahner est très concret et étonnamment proche de l'expérience quand il décrit ce qu'il entend par ces «réalités plus profondes», ce que j'appelle quant à moi la «dimension profondeur». Ses exemples résistent à la théorisation. Ils ne peuvent être vérifiés ou mis en catégories. Ils n'entrent pas dans le genre question-réponse d'un catéchisme et auraient peine à se caser dans un livre sur le droit canonique. Ils provoquent plus de questions qu'ils ne donnent de réponses. Ils suscitent des sentiments, rappellent des souvenirs, pointent vers des possibilités. Ils parlent de la vie *vécue*, de la souffrance endurée, de la passion et de la joie. Dans le sens le plus vrai, ils parlent de l'événement Jésus Christ, le foyer central de notre consécration:

> Quelque part, quelqu'un semble sangloter, à court d'espoir. Quelqu'un en a «plein le dos» et sait — même s'il [elle] se tait maintenant, s'il [elle] est patient maintenant, s'il [elle] abandonne maintenant — sait qu'il n'y a *plus rien à quoi s'accrocher*, rien où placer ses espoirs, et il [elle] sait que cette attitude est valable. Quelqu'un entre dans la solitude dernière où *personne* ne l'accompagne. Quelqu'un fait l'expérience de base d'être dépouillé même de son moi. Un être humain comme esprit, dans son amour de la vérité, atteint pour ainsi dire les frontières de l'absolu, [...] qui soutient mais n'est pas soutenu; [...] qui est là, même si nous ne

pouvons l'atteindre ni le toucher, qui — si nous en parlons — est à nouveau caché derrière nos paroles comme leur fondement [comme la disposition est à l'action][12].

Le rapport que ces «réalités plus profondes» entretiennent avec le Saint n'est pas immédiatement clair. Il est, en fait, plus intuitionné que compris et souvent y penser fait mal — au fond du cœur. C'est pourquoi tant d'entre nous l'écarteraient plutôt, préférant ne pas l'affronter. Il ne fait pas partie de notre façon de penser habituelle et nous met donc mal à l'aise. Il éclaire dans le silence, dans l'«être-avec» plutôt qu'au travers de mots et d'explications. Il parle indirectement de nos vœux — dans l'isolement et la solitude dernière, le dépouillement et l'abandon du pouvoir, l'acceptation du silence et la soif de la vérité. Accueillir ces «réalités plus profondes» et y demeurer changent la vie de quelqu'un. Cela conduit à un changement de vision, un changement d'attitude, et c'est là, je pense, que le lien profond avec les vœux peut le mieux être expérimenté et touché.

Qu'arriverait-il si, pour un bref moment, nous nous laissions aller à penser aux vœux non comme à des choses ou des actions que nous avons promis de faire ou de ne pas faire, de laisser tomber, de nous abstenir de ou de nous engager à...? Qu'arriverait-il si nous les voyions plutôt comme des dispositions que nous embrassons, comme une manière d'être dans laquelle nous demeurons, comme un horizon qui nous fait signe, comme une profondeur dans laquelle nous nous engageons à plonger pour cheminer la vie durant dans ce silence et cette simplicité qu'est Dieu? Qu'arriverait-il si nous laissions les vœux nous éclairer non comme modes d'action mais comme modes de perception — comme des manières de voir dans lesquelles nous grandissons, qui nous permettent de nous rencontrer nous-

---

12. *Ibid.*, p. 63-64 (italiques et langage inclusif de B. Fiand)

mêmes et de rencontrer le monde à un plan plus profond, plus sacré, et alors d'agir à partir de la vision acquise à ce plan? Qu'arriverait-il si nous nous permettions de faire l'expérience de la vie consacrée comme d'une spirale conduisant vers une conscience toujours plus profonde de la sainteté qui est la vie (la vie sous tous ses aspects, ses souffrances et ses échecs aussi bien que ses joies) et de la sacralité de la création, de toute la création? Le souci de règles et de prescriptions avec lequel tant d'entre nous, même aujourd'hui, abordent les discussions sur la vie consacrée, et qui si fréquemment nous distraient des profondeurs de la sainteté à laquelle nous sommes appelées, ne disparaîtrait-il pas alors à l'arrière-plan, comme les théories cèdent le pas à la praxis? Et celles d'entre nous qui ont perdu l'intérêt et sont lassées sinon désenchantées par cette approche légaliste et dualiste que l'exploration dans le monde des vœux a fini par signifier, est-ce qu'elles ne s'engageraient pas à nouveau? Les vœux ne commenceraient-ils pas à parler de vie pleinement vécue, d'aspirations se trouvant au cœur même de notre humanité?

J'ai déjà signalé que les conduites qui surgissent d'une vision vivent de leur énergie propre tandis que les comportements imposés de l'extérieur perdent rapidement de leur pouvoir et de leur vitalité et ne se maintiennent souvent que sous l'emprise de la peur et de la culpabilité. Qu'arriverait-il si nous considérions la profession religieuse comme un engagement à cheminer, à nous mettre en marche, comme un mouvement confiant vers diverses possibilités et non comme un fait accompli qui nous identifie une fois pour toutes à un état particulier de perfection qui peut être mesuré clairement, évalué et vérifié par des actes déterminés? Nos efforts et nos aspirations ne trouveraient-ils pas la place qui leur revient dans notre vie consacrée? Nos évaluations individuelles et communautaires, au lieu d'être faites seulement en fonction du succès, ne se feraient-elles à la manière de Jésus: il lui est beaucoup pardonné, à lui, à elle, à nous, parce que nous avons beaucoup aimé.

Le moment est venu de passer des généralités au particulier. C'est ce que nous ferons dans les chapitres suivants. Nous commencerons par une réflexion sur la pauvreté et son sens en tant qu'appel évangélique. Suivra une méditation sur le célibat qui devrait jeter de la lumière sur notre façon de vivre en communauté et notre engagement à nous aimer les uns les autres. J'y traiterai de problèmes particuliers, tels nos rapports les uns avec les autres dans le contexte de la crise du midi de la vie, et de ce midi de la vie lui-même. J'examinerai les implications de cette crise sur la vie en communauté, c'est-à-dire comment se dessine en l'occurrence notre devoir de faire face à nos ténèbres intérieures, de tenir compte de nos besoins d'intimité et d'affronter la solitude. Suivront quelques pensées sur l'obéissance et l'autorité; elles visent à favoriser une appropriation de la dimension profondeur du leadership, qui dépasse les anciens stéréotypes et nous entraîne vers une attitude d'écoute-réponse réciproque authentique, alors que les questions de notre temps nous font voir des problèmes toujours plus profonds et nous invitent tant à l'humble abandon qu'à la créativité. En conclusion, j'aborderai nos rapports avec nos membres plus jeunes, notre responsabilité à l'égard de la vie nouvelle et la véritable expérience de mort et résurrection à laquelle nous convie la vie religieuse vécue à notre époque.

Questions pour la mise au point, la réflexion et la discussion

1. Comment réagissez-vous à l'idée que la spiritualité holistique ne voit pas la consécration comme une «mise à part», mais considère le monde entier comme percée créatrice de Dieu et donc comme sacré?

2. La spiritualité holistique insiste aussi sur la complémentarité des différentes vocations (c'est-à-dire, consécration matrimoniale et consécration religieuse). Cette perspective vous affecte-t-elle? Vous sentez-vous à l'aise avec elle?

3. Comment réagissez-vous aux énoncés suivants?

    — «Après tout, les écoles et les hôpitaux catholiques ne sont pas plus catholiques du fait que ce sont des sœurs, des frères ou des prêtres qui les dirigent ou qui y travaillent. Les catholiques n'ont pas l'exclusivité de ce qui est vraiment chrétien.»

    — En ce qui concerne la vie communautaire et la formation: «La communauté d'égaux [la *basileia* du Christ] commence dès la première lettre de demande écrite par le nouveau membre et dure pendant les nombreuses années d'initiation et de formation jusqu'aux vœux définitifs, et au-delà.» (Ce qui ne signifie pas, évidemment, que quelqu'un ne peut quitter.)

    — Le développement religieux «s'il est authentique, est organique — venant de l'intérieur, suivant le cycle de notre propre croissance. Il n'a pas à être imposé ou éprouvé artificiellement, mais demande à être nourri dans un milieu communautaire sensible à ce besoin.»

    — «Le leadership (est) le pouvoir conféré par le groupe de veiller à sa propre vocation.»

    — «La diversité des dons ne signifie pas la hiérarchie des

dons, il n'y a donc pas non plus de hiérarchie des services.»

— «Dans un paradigme dualiste, en vertu d'une abstraction mal placée, la valeur d'une fonction [i.e. le leadership] rejaillit sur la valeur de la personne qui l'accomplit, élevant ou abaissant la dignité de l'individu en proportion.» Ce qui occasionne souvent de l'ambition, de la compétition, de la jalousie et de la politicaillerie, lesquelles faussent le discernement communautaire.

— La réflexion de Beatrice Bruteau sur la «conscience participative».

— «L'authenticité de l'action est directement proportionnelle aux dispositions qui l'inspirent. Si les dispositions ne sont pas nôtres, l'action non plus. Celle-ci en effet peut devenir automatique, forcée, accomplie par manipulation — «jouant le jeu», comme on dit — mais à moins que ce que je fais ne surgisse de ce que je suis, ne surgisse de l'intégrité de mon *être*, l'action n'est pas mienne.»

4. Comment réagissez-vous à l'idée que tout discernement significatif concernant la vie consacrée doit être précédé par l'expérience du silence, par l'affrontement de la solitude, de nos limites ultimes, de nous-mêmes, de ce que Rahner appelle les «réalités plus profondes»?

5. Comment vous sentez-vous à l'idée de considérer la profession religieuse comme un engagement à cheminer, à marcher de l'avant, comme un mouvement confiant vers des possibilités, plutôt que comme un fait accompli qui nous identifie une fois pour toutes à un état particulier de perfection pouvant être clairement mesuré?

3

Bienheureux les pauvres

Depuis un certain temps déjà, la solidarité avec les pauvres du Christ est reconnue comme une manière particulière pour les religieux à travers le monde de vivre leur engagement. D'une certaine façon, le vœu de pauvreté est vu comme relié au souci des *anawim* ainsi qu'au désir d'être avec eux. L'insistance mise sur ce lien par tant de documents communautaires montre qu'il est une composante centrale de notre manière de vivre aujourd'hui.

La question de la solidarité

Nous savons que le problème de la richesse et de la pauvreté est une préoccupation majeure tant de l'Ancien que du Nouveau Testaments. Dans l'Ancien Testament, ce thème vient au deuxième rang, précédé seulement par l'idolâtrie à laquelle d'ailleurs l'oppression du pauvre est souvent clairement reliée. Plus de cinq cents versets dans le Nouveau Testament, c'est-à-dire un sur seize, renvoient directement à un enseignement sur ce sujet, sans compter les références indirectes qu'on trouve dans les actes de Jésus et de ses disciples[1]. «Jésus a parlé davantage de la richesse et de la pauvreté, nous dit Jim Wallis, que d'à peu près tout autre sujet, y compris le ciel et l'enfer, la morale sexuelle, la loi ou la violence[2].» Manifestement, les pauvres étaient une préoccupation centrale de Jésus et de sa *basileia*, et la solidarité avec eux, une condition d'appartenance au groupe de ses disciples.

De nos jours pourtant, et de façon plus radicale peut-être que dans toute autre période de l'histoire, la cruauté de la cupidité et de la recherche de son propre intérêt se voit partout. Vu le progrès des moyens de communication durant ce siècle, nous ne pouvons l'éviter. Tous les jours, nous sont rappelés de façon toujours plus bouleversante la souffrance et le mal entraînés par le déséquilibre économique mondial. L'indigence de millions de gens en est la conséquence.

> Le mal, c'est de travailler de dix à douze heures par jour; c'est le travail des enfants, le travail éreintant, la tâche qui fait mourir, l'obsession du travail devenu drogue (*workaholic*) — tout cela est incontestablement mal! C'est le chômage en même temps que les montagnes de beurre — un Himalaya de beurre conservé en réserve et qui rancit, des Everests de confiture jetée aux égoûts, du bétail abattu [...] et jeté dans la fosse commune pour maintenir les prix; les lois du libre échange et le Marché commun portés aux nues (tandis que des millions de gens meurent de faim au Sahara, au Bengale ou dans la Corne de l'Afrique), et prônés par des gens qui nous font travailler sans relâche pour payer des taxes — ces taxes avec lesquelles ils financent la destruc-

---

1. Jim WALLIS, *The Call to Conversion* (L'appel à la conversion), San Francisco, Harper & Row, 1981, p. 57-58.
2. *Ibid.*, p. 58.

tion des fruits de notre travail — Oui, voilà ce qu'est le mal. Le mal, c'est tout ce qui est stupide, et c'est l'acceptation joyeuse de la stupidité par ceux qui en profitent, comme par ceux qui n'en souffrent pas[3].

Nous sommes tous familiers de ces déclarations faites par Petru Dumitriu dans son autobiographie spirituelle. Elles nous dérangent et nous mettent mal à l'aise, car nous mangeons du beurre et de la confiture et de la viande, et nous ne souffrons pas de la faim. Comment pouvons-nous alors être solidaires des pauvres et pourtant bien manger et vivre confortablement? Nous affirmons qu'il y a, dans notre cas, non seulement l'exigence baptismale mais un engagement par vœux envers la justice. En tant qu'hommes et que femmes proclamant publiquement l'Évangile, nous sommes voués à la simplicité de vie et à une action exemplaire pour la justice. Nous n'avons pas le droit de vivre dans le luxe (même si nos biens sont possédés en commun) aussi longtemps que la grande majorité des gens demeure au seuil de la famine. Les constitutions de ma congrégation le disent très bien: Nous «choisissons de vivre avec peu tant que tous n'auront pas le nécessaire». Le problème pourtant, c'est que plusieurs d'entre nous vivons avec beaucoup, beaucoup plus. Nous suivons le style de vie de la société de consommation qui est le modèle culturel de la plupart d'entre nous et qui nous présente toutes sortes de choses superflues comme des nécessités. Aux États-Unis, dit John Francis Kavanaugh — et j'ajouterais, dans tous les pays qui partagent une vision du monde semblable — «la compulsion à consommer est devenue pour nous aussi profonde que l'exigence de survie parce que notre régime de possessions [en tant qu'opposé au régime de l'Évangile] montre que

---

3. Petru DUMITRIU, *To the Unknown God* (*Au Dieu inconnu*, Paris, Seuil, 1979), traduit en anglais par James Kirkup, New York, Seabury Press, 1982, p. 56-57.

notre être même et nos visées sont évaluables seulement en termes de ce que nous possédons, mesurables seulement par ce que
nous avons et prenons. Nous *sommes* en autant que nous
avons[4]», et en autant que la rémunération reçue pour notre travail nous rend capables d'acquérir. Ce genre de dogme culturel
peut être fortement enraciné — bien au-delà des seuls niveaux
conscients de la reconnaissance des valeurs et de la conduite. Un
questionnement radical sur le sens de notre vœu de pauvreté
sera en conséquence extrêmement déconcertant. Dans la cruauté
économique qui nous entoure, la poursuite de ce questionnement, même s'il nous brise le cœur, doit nous pousser à l'action.

L'enjeu est élevé. Nous avons affaire ici à l'appel central de
l'Évangile en faveur de la justice. Comme le dit James Wallis,
notre propre «santé spirituelle et notre relation au Seigneur sont
en cause[5]». Tout ce dont le mal a besoin, c'est d'un manque de
cœur, comme le fait remarquer Dumitriu. «J'en suis venu à penser, dit-il, qu'une partie du silence de Dieu réside dans le mien;
qu'une partie de l'absence de Dieu n'est rien d'autre que l'absence de notre propre cœur, de notre humanité, de notre amitié.
[...] Les absences du cœur humain durent parfois longtemps[6].»
Et voilà sans doute l'enjeu: la souffrance devant notre impuissance apparente en face du problème, comme notre participation involontaire mais néanmoins réelle à ces maux, en dépit de
nos protestations bien intentionnées, peuvent aussi s'avérer trop
considérables. Nous pouvons ainsi glisser assez facilement dans
une forme de refus dualiste. Nous pouvons professer une chose
et en vivre une autre, refusant d'affronter l'incohérence de nos

---

4. John Francis KAVANAUGH, *Following Christ in a Consumer Society* (Suivre
le Christ dans une société de consommation), Maryknoll, N.Y., Orbis Books, 1981,
p. 26.
5. WALLIS, p. 64.
6. DUMITRIU, p. 35.

vies et de faire face courageusement aux tensions entre notre situation culturelle présente et notre appel en tant que religieux à vivre de façon créatrice en vue d'une transformation personnelle et sociale qui s'impose*.

Je ne suis sûrement pas la seule à avoir été plutôt intriguée par le fait que tant d'entre nous semblent si peu touchées par la requête radicale de notre profession religieuse à nous engager en faveur des pauvres (surtout quand elle est proclamée et interprétée par celles qui dans notre milieu se savent plus représentatives, pour une raison ou une autre, de cet appel de l'Évangile et veulent nous rappeler notre devoir à cet égard). À quoi nous engageons-nous quand nous faisons le vœu de pauvreté? Il y a là un vrai conflit. Il est si facile de reprendre une par une les choses mêmes auxquelles nous avons renoncé dans un moment de grâce et de trouver toutes sortes de justifications à cette triste reprise. Comme la comédie musicale *Nunsense* nous le rappelle avec facétie: les Religieux sont ceux qui «ne possèdent rien mais ont tout!»

Par ailleurs, je me suis penchée longtemps sur les obligations et les défenses des règles communautaires concernant la pauvreté, toutes présentées comme des orientations mais n'ayant pas plus de pouvoir qu'une simple prescription. Je me suis demandée pourquoi les orientations des directoires communautaires me laissaient si froide et, en elles-mêmes, étaient incapa-

---

* Plusieurs d'entre nous vivons dans les parties les plus riches du monde et jouissons de ses biens. Comme le disait jadis un de mes professeurs (c'était une classe d'étudiants gradués combatifs): «Nous aussi nous avons les mains sales!» Sandra Schneiders l'explique bien dans son livre *New Wineskins* (Des outres neuves): «Nous savons aussi que nous sommes constamment impliqués dans la croissance du système même que nous avons reconnu comme injuste et exploiteur. Chaque fois que nous allons à la banque, faisons notre épicerie, remplissons le réservoir à essence, nous participons d'une façon ou d'une autre au système des multinationales qui, de près ou de loin, exploitent les pauvres.» (New York, Paulist Press, 1986, p. 189).

85

bles de me pousser à l'action. Pourquoi ai-je un goût amer dans le bouche quand j'entends des discussions sur les cadeaux en argent qu'une religieuse consacrée peut conserver? Quand je nous entends nous plaindre d'avoir à signer pour utiliser une auto, nous plaindre aussi que celles qui travaillent aient le privilège de posséder une voiture? Quand est débattu le montant des budgets personnels ou quand je vois des sœurs se charger de contrôler ce que d'autres possèdent? En ces occasions, je comprends mieux pourquoi certaines d'entre nous ont senti le besoin de se retirer de la vie communautaire et de contrôler leur propre budget. Tous les efforts effrénés pour établir des règles communes me semblent passer misérablement à côté de la question, et ne posséder peu sinon aucun pouvoir de motivation.

L'appel au renoncement

En un temps de questionnement sérieux quant au sens de la pauvreté aujourd'hui, je reviens souvent à la remarque de Donald Nicholl sur la nature du «renoncement oblatif à soi» (self-sacrifice). Il arrive que la pauvreté religieuse soit une épreuve inévitable, un mal social auquel nous sommes liés par la nécessité économique, mais c'est le fait de quelques uns, et encore. Notre rapport à la pauvreté doit donc plutôt en être un de choix libre, de don de soi, d'abandon. Nicholl voit ce renoncement oblatif comme «un acte de *totale* responsabilité par lequel nous nous prenons complètement en main pour nous mettre à la disposition du tout; nous cessons d'être à part pour faire un avec le tout», et ainsi nous «"re-présentons" le tout[7]». Il me semble que c'est sans doute le bon point de départ d'une réflexion sur notre vœu.

---

7. Donald NICHOLL, *Holiness* (Sainteté), New York, Seabury Press, 1981, p. 21 (italiques de B. Fiand).

La question se pose évidemment de savoir à quel moment quelqu'un est capable d'une telle abnégation et ce qu'elle entraîne réellement. La vision de Nicholl est très ample et ne se limite sûrement pas à la consécration religieuse. Dans sa méditation, le don de soi se présente comme le leitmotiv de l'histoire de l'évolution toute entière, du premier moment de la création, en passant par la formation de la terre, l'apparition de la vie, les débuts de la vie consciente, de la conscience de soi, jusqu'au renoncement oblatif dans le point Oméga qui est le Christ[8]. Comme Dante, il voit un lien entre le monde extérieur et le monde intérieur de l'être humain, une harmonie dans l'histoire cosmique. «C'est le même amour, dit-il, qui meut nos cœurs comme il meut le soleil et les autres étoiles[9]», qui meut les amibes et toutes les formes ultérieures de vie, qui suit la conscience de soi de l'être humain dans toutes les phases de son développement et conduit finalement la création à l'apogée de son propre mouvement dans le don total de soi. Dans l'événement évolution, il n'y a rien de plus grand que le moment Jésus Christ. En lui, «la nouvelle réalité est l'acte de renoncement oblatif à soi accompli délibérément en vue des autres par un être conscient de lui-même. Ni l'homme [la femme] ni Dieu ne peuvent aller plus loin; *il n'y a pas plus loin à aller*; voilà le lieu ultime[10].»

Et qu'en est-il de nous, qui vivons dans le temps, après la mort et la résurrection de Jésus? Où est notre place dans la poussée de l'évolution? La réponse de Nicholl est simple: à cause de Jésus nous vivons dans la plénitude des temps. À cause du Christ Jésus, que nous avons revêtu au baptême (et, comme religieux, une autre fois par nos vœux), nous sommes appelés, en tant que

---

8. *Ibid.*, p. 14.
9. *Ibid.*, p. 16.
10. *Ibid.*, p. 18 (italiques de B. Fiand).

peuple de la *basileia*, à faire partie du règne ultime de Dieu, un règne qui est au milieu de nous, mais qui n'est pas encore tout à fait. À cause du Christ Jésus qui s'est donné lui-même, et à cause de l'Esprit qui nous soutient maintenant dans notre mouvement de don de nous-mêmes, nous sommes appelés à entrer dans la vérité des douleurs de la création qui gémit en travail d'enfantement (*Rm* 8,18-23). Nous sommes appelés à entrer dans la plénitude, dans la sainteté comme plénitude du processus de création. «La sainteté n'est pas un accessoire optionnel dans le processus de la création, elle en est plutôt la raison ultime[11].»

La sainteté toutefois, comme tout le reste de la création, et ceci mérite d'être souligné, est en devenir, en enfantement, en croissance, en travail de renoncement à soi. Elle fleurit en liberté, en ouverture, en vision qui conduit à l'action. La sainteté n'est donc pas une décision qu'on prend une fois pour toutes — ni, personnellement, au moment de la profession perpétuelle, ni, collectivement, dans les décrets du chapitre général énonçant l'idéal pour nous toutes. Elle ne se trouve pas non plus dans les inscriptions et les devises présentes sur nos murs, ni dans les déclarations de nos directoires et de nos bulletins de liaison. Même si elle est avec nous dans ce moment historique, la «vision Jésus Christ» requiert notre *appropriation personnelle* dans l'événement particulier qu'est notre croissance individuelle en conscience et en vision. Si le point ultime de l'évolution se trouve dans le don de soi conscient jaillissant de la liberté et de la responsabilité personnelles de Jésus le Christ, alors vivre dans ce moment demande la même chose de chacune de nous. Et c'est ici, à mon sens, que nous devons situer notre vœu de pauvreté. Ce n'est pas la somme des engagements pris en notre nom par un chapitre, quelle qu'en soit la valeur par ailleurs, qui nous

---

11. *Ibid.*, p. 17.

rendra pauvres, non plus que la somme des décisions d'une autorité extérieure. Nous pouvons bien avoir prononcé des vœux en communauté, et cet engagement influera assurément sur notre façon de vivre, mais en dernier ressort la décision de tout donner est nôtre, et cette décision est l'histoire d'une vie de responsabilité personnelle, de culpabilité et de rédemption. La vie religieuse et les décisions de groupe ne nous dispensent pas de cette responsabilité ni de cette culpabilité. *Nous ne nous départissons pas de notre liberté en prononçant des vœux, nous l'assumons* — un fait parfois ignoré lorsque, dans les déclarations et les règlements officiels, nous mettons trop l'accent sur le collectif et perdons l'équilibre dans la tension existant entre cet aspect et le choix comme la responsabilité des individus.

Un oui personnel

Je ne nie évidemment pas qu'en tant qu'institution notre orientation collective en faveur des pauvres soit importante et puisse être très signifiante. Beaucoup de choses peuvent être réalisées au moyen d'une bonne intendance, d'un bon leadership, tout comme en enracinant de façon tenace et créatrice les objectifs de la communauté dans le charisme du fondateur. Mais les rêves et les objectifs d'une communauté, en dernière analyse, sont seulement aussi solides que les membres eux-mêmes. Si leur acceptation des affirmations de la vision ne jaillit pas en fin de compte de leur combat personnel, de leur cheminement personnel dans la mort et la résurrection du Christ, de leur réponse personnelle aux besoins de notre époque, alors il ne se produira pas grand-chose de valeur et de portée durables. Il est clair que nous sommes confrontés ici encore à l'exigence d'entrer dans ces «réalités plus profondes» que Rahner nous a invités à reconnaître: la capacité de faire face personnellement à l'abandon total, à l'impuissance, au dépouillement de notre moi; nos expériences de vie, vécues pleinement et en toute maturité, à mesure que celle-ci s'avance vers ses moments les plus profonds et exige une acceptation et un abandon complets.

Que se passerait-il si, à la lumière de la présentation qui précède, nous vivions le vœu de pauvreté d'abord et essentiellement (quoique non exclusivement) comme une attitude de pauvreté intérieure, comme une disposition sainte vers laquelle nous nous dirigeons dans des mouvements du cœur toujours plus profonds et à l'occasion éprouvants, des mouvements qui creusent toujours davantage notre désir, même si nous reconnaissons notre propre aveuglement, notre blessure et notre vulnérabilité à cet égard? Que se passerait-il si, en toute humilité, nous parvenions à voir cette attitude intérieure de pauvreté comme une grâce, un don, auquel nous devons nous ouvrir et que nous demandons chaque jour dans la prière, que nous ne devons jamais prendre pour acquis, jamais mesurer ou évaluer, même alors que nous œuvrons parmi les plus pauvres des pauvres ou que nous avons donné tout ce que nous possédons? Que se passerait-il si nous envisagions la pauvreté comme une grâce donnée non pas d'abord et surtout quand nous *faisons* quelque chose mais quand nous *abandonnons notre pouvoir*? Ne serions-nous pas alors portés vers une solidarité profonde avec tous les pauvres du Christ et vers une action authentique en faveur d'une transformation personnelle aussi bien que globale?

La solidarité — le fait d'être un avec l'autre — est impossible si on ne partage pas ce que les autres vivent dans leur expérience existentielle. L'accent doit d'abord être mis ici sur le fait d'*être-avec* plutôt que sur celui de *faire-pour*, non parce que ce dernier aspect n'est pas important, mais parce que sans le premier il ne sert de rien, tant pour celui qui reçoit que pour celui qui donne. Il en est ainsi parce que, dans cette perspective, il y a toujours une personne qui reçoit et une personne qui donne, et qu'alors la véritable solidarité n'est pas encore pleinement réalisée. Dans la perspective de «faire-pour», la mentalité hiérarchique et dualiste d'aidant-aidé règne encore en nos cœurs même si elle se veut bienveillante. Je ne puis être un avec quelqu'un quand je suis le seul qui donne, quels que soient la générosité et l'effort que j'y mette. C'est seulement lorsque je vois le besoin de l'autre comme un don qu'il me fait, lorsque je me rends compte que celui que j'«aide» me rend la vie, et lorsque mes services deviennent action de grâces, que je vis la solidarité véritable, celle qui me fait un avec le pauvre. Alors je puis m'unir étroitement à mes sœurs et mes frères dans la gratitude pour leur besoin de moi et pour mon besoin d'eux. Alors je suis vraiment pauvre.

J'ai médité ailleurs sur le sens de la «pauvreté en esprit» chez Matthieu (*Mt* 5,3) et sur la vertu de pauvreté comme disposition sainte qui nous habite réellement en proportion directe de notre acceptation mature de notre humanité, de notre être personnel[13]. Cette réflexion ne voulait aucunement esquiver la responsabilité qui est nôtre en faveur de ceux qui sont pauvres matériellement; elle visait en fait à creuser le problème de la solidarité sans laquelle la responsabilité demeure vide et froide.

> La béatitude des pauvres (qui unit les personnes [au sens vrai du mot] [...] et qui les rend solidaires les unes des autres) consiste dans leur *besoin* et plus encore dans la *connaissance* de leur besoin, car c'est cela même qui les rend ouverts, réceptifs, reconnaissants. En fait, c'est cela qui leur donne vraiment leur dignité essentielle comme personnes (du latin *per*, «au travers», et *sonare*, «son»): ceux qui sont suffisamment ouverts et vides à la fois, suffisamment dans

---

12. Barbara FIAND, *Releasement* (Mise en liberté), New York, Crossroad, 1987, p. 15.

13. *Ibid.*, p. 22-27.

le besoin pour recevoir et pour rendre (retourner au donneur) ce qu'ils ont reçu, dans la gratitude. Une «personne» est celle *à travers qui* la voix de l'amour créateur peut passer, celle qui peut recevoir et répondre dans la vulnérabilité complète de l'abandon. Comme telle, elle est, en un sens radical, bénie; elle est pauvre[14].

Il est manifeste que nous abordons là quelque chose qui appartient à la dimension profondeur de la personne humaine. La situation économique, qu'elle soit heureuse ou malheureuse, est secondaire (par essence et pas seulement dans le temps) par rapport à la pauvreté radicale qui nous constitue dans notre être et, si elle est reconnue et acceptée, nous met en solidarité avec l'humanité tout entière. L'invitation à *devenir ce que nous sommes*, à laquelle une vie évangélique authentique nous convie chaque jour, est un appel à la reconnaissance, à la pleine conscience de soi-même comme pauvre. C'est un appel au renoncement à soi, au dépouillement de toutes les fixations au pouvoir, aux rôles, aux faux symboles de prestige. C'est un plaidoyer proposant de se soumettre à toutes les souffrances que cela implique, de façon à renaître dans l'intégrité, dans la plénitude des temps pour laquelle le Christ Jésus nous a sauvés. C'est une offre de changer notre «cœur de pierre» en un «cœur de chair» — un appel à la douceur du cœur. Voilà, à mon sens, la première et la plus importante exigence de notre vœu. Elle ne nous sépare pas des autres chrétiens, car l'Évangile les appelle eux aussi à cette pauvreté. Elle nous réclame toutefois, vu que nous avons pris un engagement particulier à son endroit le jour de notre profession. Par notre appartenance à une communauté religieuse, nous mettons en lumière cette exigence évangélique et nous nous y soumettons publiquement. La responsabilité qui en découle ne doit

---

14. *Ibid.*, p. 26.

pas être sous-estimée. La pauvreté vient de Dieu en Jésus Christ qui «s'est vidé de lui-même» afin de devenir l'un de nous (*Ph* 2,7). Lorsque nous optons pour la pauvreté, nous optons pour un *mouvement en Dieu*; nous choisissons de nous laisser changer, nous choisissons d'être libérés de la recherche de notre propre importance et de la tendance à contrôler, et d'être confrontés au mystère de notre propre blessure et de notre péché, mystère qui, en retour, nous rendra capables de rencontrer les autres comme des sœurs et des frères et de nous engager alors avec intégrité pour la justice.

La vraie pauvreté

Je pense que je suis vraiment pauvre et par conséquent bénie — remplie de l'énergie de Dieu — seulement quand je puis radicalement me tenir dans ma vulnérabilité et dans ma faiblesse et proclamer la bonté de Dieu qui «comble de biens l'affamé et renvoie le riche les mains vides» (*Lc* 1,53), non parce qu'il ne veut rien leur donner, mais parce qu'ils sont trop remplis pour remarquer un manque quelconque. Ils doivent d'abord être vidés avant d'être en mesure ne serait-ce que de voir la dynamique de la sainteté et de la justice.

Une petite histoire en provenance d'Orient illustre cette vérité du *Magnificat* avec une simplicité magnifique. On raconte qu'un jour le dieu Shiva décida de prendre la forme d'une personne sage et sainte et de visiter l'humanité. La nouvelle de sa présence se répandit rapidement et les saintes gens de partout vinrent à lui pour avoir un estimé de leur chance de salut. Ils énumérèrent leurs réalisations et leurs actions dignes de louange dans l'espoir de se voir accorder le salut le plus tôt possible. Étant dans l'ensemble convaincus de leur bon cœur, ils étaient habituellement désappointés quand Shiva leur disait le nombre de réincarnations qui leur restaient à vivre pour parvenir à l'union éternelle avec lui. À une personne, il en annonça trois, à une autre, sept, et ainsi de suite. Au tout dernier rang dans la longue file des quémandeurs se trouvait un tout petit homme vraiment honteux de l'insignifiance de sa vie et du nombre de ses péchés. Tout ce qu'il pouvait dire pour sa propre défense était son amour de la création et son souci de ne blesser personne. Il espérait seulement que le salut promis lui viendrait un jour car il aimait Dieu tendrement en dépit de la pauvreté de ses réalisations. Quand Shiva, après quelques hésitations, lui accorda mille réincarnations de plus, l'homme dansa de joie et de gratitude. On dit même qu'il se changea subitement en une flamme. L'énergie de son enthousiasme (du grec *en*, «en», et *theos*, «Dieu») et son humble disposition à reconnaître en toute chose une grâce l'avaient transformé. Shiva aussi devint pure lumière. Les flammes s'unirent et s'en allèrent vers la béatitude éternelle[15]. Dans notre propre tradition, cette histoire rappelle la parabole du Pharisien et du Publicain (*Lc* 18,10-14). Ce dernier, en reconnaissant son besoin de miséricorde, s'en retourna justifié. Ce n'est pas d'abord ce que nous faisons, mais notre abandon à l'amour en même temps que la reconnaissance de notre propre pauvreté qui sont pour nous source de bénédiction.

Je reconnais que je suis pauvre et je puis donc être accueillante quand je sais au fin fond de mon être que tout ce que j'ai est don. Je reconnais que je suis pauvre quand j'accepte cette noirceur en moi comme vraiment mienne tout en me sachant aimée. Quand je fais l'expérience de la puissance de la compassion à l'intérieur de moi et au travers de moi, parce que j'ai connu le fond de la souffrance et, m'y étant tenue, j'ai été enlacée par Dieu. Je reconnais que je suis vraiment pauvre quand la compassion transforme mon monde et mes besoins, quand elle

---

15. NICHOLL, p. 42, 43, 44.

me fait voir le néant de toutes choses et me conduit à une faim authentique de justice et de Dieu, quand elle dirige et motive mes actions et me pousse radicalement à m'unir étroitement aux autres dans leur pauvreté.

Unité entre intériorité et justice

Il devient de plus en plus clair pour moi à mesure que je réfléchis sur les contradictions apparentes entre ce que certaines d'entre nous professent comme religieuses et font ensuite, que le vœu de pauvreté, tout comme la simplicité, l'hospitalité et la compassion qui en sont les fruits, ne survivra pas sans une vision en profondeur. Cette façon de voir n'est évidemment pas partagée par tout le monde. Le dualisme de notre formation peut diviser notre monde dans les deux directions en sorte que la sainteté et la justice ne se rencontreront jamais. Pour les personnes pieuses à l'ancienne manière, le souci de la perfection laisse la compassion à celles qui sont nommées à ce ministère: la missionnaire, celles qui travaillent dans les quartiers pauvres, à l'œuvre de la soupe et aux abris pour itinérants. Mais les engagées d'aujourd'hui peuvent aussi être victimes de cette dichotomie. «L'insistance sur l'intériorité, selon Ann Belford Ulanov, leur semble apporter inévitablement avec elle l'oubli des véritables problèmes de notre temps: le social, le politique, le culturel[16].» Le souci du développement personnel, la contemplation et la recherche plus globale de sanctification, dans cette manière de voir, peuvent être facilement écartés comme un luxe de tour d'ivoire, comme du nombrilisme. «Mon travail est ma prière», disent-elles, et elles ne reconnaissent pas qu'une aspiration religieuse agira puissamment comme toile de fond et soutien de tout travail authentique

---

16. Ann BELFORD ULANOV, *Picturing God* (Se représenter Dieu), Cambridge, Mass, Cowley Publications, 1986, p. 15.

et vraiment efficace en faveur de la justice. Elles se privent alors elles-mêmes de sa passion et leurs œuvres de la véritable compassion.

La croissance personnelle et les préoccupations sociales ne s'excluent pas mutuellement, et la relation entre les deux ne devrait pas non plus être comprise seulement comme une séquence: «une fois que je me serai unifiée, j'aiderai les autres» ou «une fois que mon travail pour la justice sera terminé, je pourrai me préoccuper de mon propre développement — faire une retraite prolongée, prier». La justice chez Jésus était incluse dans sa sainteté et, comme Ulanov le signale, «certains des plus grands défenseurs de la vie contemplative ont fait plus pour faire avancer la société dans la direction de la justice sociale que les plus ardents réformateurs sociaux». Il arrive souvent, prétend-elle, que les engagés sociaux ne réussissent pas à voir comment «à la racine du désordre social se trouve le désordre en chacun de nous et comment une remise en ordre de la société dépend pour beaucoup d'une remise en ordre au plan individuel[17]». L'histoire de Chiao Chou revient à l'esprit. Les œuvres de justice peuvent aussi être atteintes de l'«état de sécheresse».

Être solidaire des pauvres signifie se tenir dans la vérité de la condition humaine et savoir que j'en fais partie. Ce qui requiert une connaissance et une humble acceptation de soi. Aucune théorie de justice sociale, aucune philosophie morale, aucune doctrine arrêtée ne contient toutes les réponses aux injustices de ce monde, seul le fait un cœur humain adouci par la grâce. La spiritualité holistique est un chemin vers la douceur du cœur. Quand je sens à l'intime de mon être que le sang qu'on répand est le mien propre, quand je souffre de la faim de ceux qui ont faim, quand je vois ceux qui pèchent comme faisant mes

---

17. *Ibid.*

propres actions, quand je reconnais que la communauté humaine même en ses moments les plus sombres demeure un don et, plus profondément encore, quand je me sais contenir aussi cette noirceur, alors je suis unie au gémissement de l'humanité cherchant la plénitude de la création, la plénitude de la rédemption dans le Christ.

La saisie décrite ici ne vient pourtant pas facilement. Pour y parvenir, même les plus sincères d'entre nous doivent être dépouillés, «desséchés», ils ou elles doivent faire l'expérience de la désolation et de la solitude et de la défaite qui nous font voir notre vide fondamental, notre état de besoin, et reconnaître cela même comme notre gloire. Nous avons aussi besoin de silence, d'espace, d'intériorité, afin de reconnaître que ce dépouillement fait partie de notre chemin vers Dieu, afin de reconnaître qu'il s'agit d'un processus nous ramenant ultimement à la pauvreté que nous sommes, qu'il est essentiel à l'expérience du compagnonnage chrétien et de la solidarité, qu'il est l'étoffe dont notre vœu est fait. Ceci ne devrait pas non plus décourager personne, car, que nous en ayons conscience ou pas, nous nous trouvons déjà dans ce processus. Il appartient aux douleurs de l'enfantement de la création dans le Christ. Notre tâche en est surtout une de prise de conscience, d'acceptation; il s'agit d'y demeurer pour venir à notre christification personnelle et communautaire.

Rejoindre les profondeurs de notre propre psychè nous unit réellement à chaque autre psychè. Atteindre les profondes dimensions inconscientes de nos problèmes personnels nous fait parvenir à un niveau d'association qui est vraiment communautaire. [...] À ce niveau, nos propres problèmes particuliers viennent à servir de porte d'entrée dans les problèmes humains collectifs: nous pouvons même voir que nos propres petites solutions contribuent grandement au combat continu de l'être humain avec ces problèmes. [...]

Nous constatons que l'interconnexion entre soi et les autres est incontournable et nous venons à voir que nos expériences personnelles les plus profondes sont inextricablement liées à notre participation à la communauté humaine. Comme le dit Dame Julienne de Norwich, nous sommes tissés dans la substance de Dieu, nous nous sentons donc tissés les uns avec les autres au niveau le plus profond[18].

Il est clair que nous faisons ici l'expérience de la compassion — une union passionnée avec l'autre dans sa propre passion parce que nous sommes passés par là, que nous y sommes, que nous la tenons au fond du cœur. Ulanov voit la «transparence» comme une représentation symbolique de ce genre de compassion. La séparation entre les problèmes sociaux et les soucis personnels s'avère alors illusoire, car la lumière passe de l'un à l'autre: «À la fine pointe de l'âme, nous parvenons au communautaire, et des limites extrêmes du communautaire, nous parvenons aux textures profondément personnelles de notre propre être et de l'être de l'autre[19].»

Vers la douceur du cœur

Ce sur quoi nous venons de réfléchir s'appelle en termes jungiens le processus d'individuation. Whitmont le décrit comme étant «toujours un chemin, une voie, un processus, voyage ou travail, un dynamisme; il n'est jamais, du moins pendant cette vie dans l'espace et le temps, un état arrêté ou achevé[20]». Une bonne partie de ce processus se situe dans la seconde étape de

---

18. *Ibid.*, p. 17-18.
19. *Ibid.*, p. 18.
20. Edward C. WHITMONT, *The Symbolic Quest* (La quête symbolique), Princeton University Press, Princeton, N.J., 1978, p. 221-222.

notre vie, quand la construction du moi cède la place à la rencontre des réalités plus profondes de l'être. Il n'est pas question de nier que l'appel à la sainteté demeure, mais le passage, dans la façon de comprendre la vie, d'une perspective idéaliste à une perspective réaliste arrive ordinairement dans la seconde partie de notre séjour sur terre. C'est sa douceur amère, ses privations, sa pauvreté que nous abordons ici.

Dans notre contexte social, des réflexions telles que celles qui précèdent sont enfin rendues possibles à cause, entre autres, de la psychologie des profondeurs et d'un regain d'intérêt pour la pensée mystique et pour un style de vie holistique. Mais il est intéressant de remarquer qu'elles surviennent alors qu'une plus grande proportion des nouveaux membres de nos communautés religieuses sont dans la seconde moitié de la vie ou s'en approchent. C'est comme si, consciemment ou non, ils sont pris par ces problèmes et voient la vie religieuse comme une occasion d'y faire face. La pauvreté à laquelle nous nous engageons par vœu et dans laquelle nous les invitons à nous rejoindre est un engagement à nous ouvrir à un adoucissement du cœur. Dans cet engagement, toutes les œuvres en faveur de la justice et de la miséricorde sont orientées et soutenues par une disposition fondamentale à faire un avec la famille humaine. Cela leur donne la force de compassion et de solidarité dont elles ont besoin, mais qui pourtant exige de nous tous un renoncement à soi progressif s'étendant sur une vie entière. Il n'est pas question de provoquer ou de programmer un tel processus. Il nous arrive de lui-même. Le vœu signifie notre volonté, notre confiance — notre abandon, notre immersion reconnaissante dans la vision que ce processus ouvre pour nous: une vision que nous savons être grâce, même si elle est emmêlée de souffrances.

Je suis convaincue qu'en prononçant le vœu de pauvreté, nous nous engageons à rien de moins qu'à la profondeur de l'Évangile qu'en nous l'événement Jésus Christ déploie à nouveau chaque jour. Les actions authentiques découlent de cet événement et, à cause de lui, recevront leur motivation et leur énergie de l'intérieur. Nos constitutions, qui sont réflexions sur notre expérience vécue et toujours interprétée à partir de cette situation existentielle et du contexte social du moment, doivent donc être comprises non tant comme des règles que comme les énoncés d'une vision, comme des déclarations d'amour visant à nous soutenir mutuellement.

Quelques réflexions sur notre situation existentielle

Au point où nous en sommes dans notre méditation, il serait bon de nous arrêter pour considérer des situations concrètes et des décisions pratiques auxquelles la pauvreté nous confronte dans notre vie de tous les jours. Nous pourrions replacer ce sur quoi nous avons réfléchi dans notre réalité vécue en nous demandant comment le soutien réciproque prend forme dans notre vie de tous les jours et comment il en est empêché*.

En ce qui regarde la façon de vivre le vœu de pauvreté, notre discussion a clairement écarté les prescriptions ou la réglementation d'objectifs fixés de façon toute extérieure aux membres. Sandra Schneiders le dit très bien lorsqu'elle signale que: «il y a peu à gagner et beaucoup à perdre à régulariser la pratique du vœu de pauvreté[21].» Cela est particulièrement vrai pour les grandes communautés, dont certaines sont multinationales, où

---

* Les exemples et les suggestions offerts ici ne sont en aucune façon exhautifs; je ne veux pas non plus donner l'impression que les interprétations présentées sont les seules valables. Je les offre avec les mêmes intentions que les précédentes: recueillir un matériel en vue de réflexions qui, je l'espère, nous conduiront plus profondément, nous et nos communautés, dans une spiritualité holistique, dans l'«intégralité».

21. Sandra SCHNEIDERS, *New Wineskins* (Des outres neuves), New York, Paulist Press, 1986, p. 181.

la diversité des styles de vie et des ministères est un fait et où la relativité de la notion de «pauvreté» s'avère particulièrement claire. De plus, au niveau plus individuel, qu'on veuille l'admettre ou pas, notre expérience (spécialement celle des quelques vingt dernières années depuis Vatican II et l'émergence du religieux adulte) a démontré que nous pouvons écrire des directoires et des constitutions, nous pouvons extrapoler à l'infini lors des rencontres communautaires et même appeler cela un discernement. Toutefois, si la saisie et l'expérience ultérieure de notre propre pauvreté intérieure ne nous ont pas été données et ne nous ont pas interpelés, nos paroles sont vides et nos actions sans énergie. La pauvreté, très simplement, n'est pas d'abord quelque chose que l'on dit, ou fait, ou met en pratique. C'est avant tout quelque chose que nous *sommes* et que nous *devenons*. La tension dans laquelle nous nous trouvons ici est précisément celle qui existe entre, d'une part, notre union d'alliance en communauté et, d'autre part, notre engagement à la croissance comme individu. Les idées même d'alliance et de communauté dépendent de la maturité. L'un assume l'autre.

Pourtant, la maturité n'apparaît tout simplement pas quand des adultes sont maintenus dans un état de dépendance, pas plus d'ailleurs que la communauté authentique. Ce qui arrive au contraire est une «institution», avec tous les signes de régression qui caractérisent ce genre d'aménagement. Le problème dans notre cas, c'est que trop d'entre nous ont enduré trop longtemps ce genre d'aménagement. Nous avons été «formées» en lui dès les premiers moments de notre engagement et durant cette «formation» nous furent données toutes les réponses; des réponses à des questions que nous ne nous posions même pas et avec lesquelles souvent nous ne savions que faire. Nous avons certainement reçu les réponses pour ce qui est de la pauvreté et comment, étape par étape, elle devait être vécue. En tout cela, le processus d'émergence — le mouvement vers une saisie et une appropriation personnelles — était fréquemment étouffé. Nous sommes au contraire devenues dépendantes et cette dépendance était tenue pour humilité. Le processus tout entier nous était dans une large mesure extérieur — imposé de l'extérieur et accepté les yeux fermés. Pour obtenir la plupart des choses, il s'agissait de demander la permission, et le discernement de leur à-propos dans la vie de l'une ou l'autre était laissé à la sagesse (présumée) de la supérieure — qu'on croyait accordée avec la «grâce d'état».

Après Vatican II, la situation semblait avoir changée du tout au tout. On parlait de «faire des expériences», et les religieux et les religieuses de partout furent envoyés aux études pour apprendre à penser par eux-mêmes. Nous avons pris part à des ateliers de toute sorte. L'intention semblait être de nous faire passer aussi vite que possible de la dépendance préadolescente à l'interdépendance qui, compte tenu de notre âge chronologique, était attendue de nous. Au plan émotif, certains d'entre nous réussirent même, après une période relativement brève de récupération de leur adolescence perdue. Toutefois, je ne crois pas que les structures de nos institutions aient donné suffisamment de place au besoin d'indépendance économique convenable qui précède n'importe quelle aptitude mature au partage. Personne ne peut librement donner ce qu'il ou elle n'a jamais eu. Personne ne peut partager librement lorsque le partage est décrété de l'extérieur. On ne peut prendre tout simplement pour acquis que nous voulions quelque chose parce que nous avions fait des vœux, surtout quand on considère que la plupart d'entre nous nous étions engagés à nous passer de ce dont nous n'avions pas encore fait l'expérience.

C'est un fait psychologique qu'on ne peut vivre l'interdépendance si on n'est pas d'abord passé par l'indépendance. Le passage par l'indépendance prendra le temps qu'il lui faut et devra être pris au sérieux, si la pauvreté doit être comprise de façon holistique. Peut-être que devrait être explorée et prise davantage au sérieux l'idée de la vie religieuse comme style de vie destiné plus spécialement à des hommes et des femmes dans la seconde moitié de leur vie (à tout le moins après que l'indépendance ait été convenablement développée et qu'on soit passé à l'interdépendance). Ce qui est certain, pourtant, c'est que l'entrée de personnes matures (j'entends par là des individus *conscients* du voyage dans lequel ils s'engagent et capables de grandir) doit être encouragée. En même temps, notre propre croissance en maturité demeure un souci continu et les structures institutionnelles qui l'entourent devraient être sérieusement et critiquement repensées de peur que ceux et celles qui se joignent à nous ne régressent en perdant la liberté qui les a amenés et que nous n'avons jamais acquise.

«Possédants» et «non-possédants»

Une personne en autorité dans ma communauté m'a demandé il n'y a pas longtemps si j'étais d'accord avec l'opinion selon laquelle la vie comunautaire se divisait entre «possédants» et «non-possédants». Au départ, voilà une opinion provocante pour celles d'entre nous qui vivent encore du mythe de la pauvreté communautaire et «standardisée» dans laquelle nous avons été formées. C'est une question inconfortable, à vrai dire, mais ne mérite-t-elle pas réflexion?

Pour commencer, le style de vie dans les diverses communautés des différentes congrégations varie sans doute grandement. Ce que certains considèrent comme une nécessité, d'autres, vu leur compréhension de ce qu'implique un style de vie simple, en sont venus à le voir comme un luxe; pourtant, les membres des deux groupes professent le même vœu. Mais il n'est pas plus efficace ou conseillé pour le supérieur provincial lors d'une première visite canonique de signaler les incohérences et de demander un changement, car, même si une soumission extérieure s'ensuivait, qu'en serait-il du changement du cœur? Est-ce que ceux ou celles qui soupirent après ce qui ne leur appartient pas sont vraiment pauvres? Je ne veux pas dire qu'un luxe grossier ou une «mentalité d'écureuil» — la compulsion à acquérir: le travers d'amasser tout et n'importe quoi qui tombe sous la main — ne devraient pas être interpelés. Je signale seulement que la soumission obtenue demeure immature à moins qu'il y ait un changement du cœur et une honnêteté intérieure qui sait distinguer le réel besoin du simple désir.

Nos styles de vie personnels font preuve aussi d'une grande diversité. Je ne pense pas exagérer en disant que si l'une d'entre nous désire vraiment quelque chose, elle sera ordinairement assez ingénieuse pour trouver une façon de l'obtenir, si ce n'est pas par la communauté (que ce soit officiellement ou officieusement mis à notre disposition), ce sera par l'entremise de ses parents ou de la famille, ou encore d'amis. Certaines d'entre nous avons les bénéfices marginaux de nos charges — des cartes de crédit — et, dépendamment de notre interprétation, nous les utilisons pour «alléger le fardeau» de nos responsabilités communautaires. Certaines voyagent considérablement et ont besoin de la garde-robe d'une vie professionnelle; d'autres pas. Certaines n'ont pas de famille et demeurent à la maison — seules à l'occasion — durant les fêtes et les congés. Certaines vivent seules et administrent leur propre budget; d'autres vivent à la maison-mère et n'ont jamais l'occasion de seulement faire un menu.

De quelque manière qu'on l'envisage, le problème des possédants et des non-possédants existe incontestablement dans la vie communautaire et, quand ce sont l'absence de compassion et l'égoïsme qui en sont la cause, il ne peut être ignoré. Il arrive souvent, pourtant, que les valeurs différentes vers lesquelles le vœu de pauvreté nous dirige ne peuvent être obtenues par l'observance de pratiques uniformes: «Notre pratique de l'hospitalité en certaines circonstances peut entrer en conflit avec notre désir d'éliminer de notre régime certains types de breuvage ou de nourriture pour des raisons ascétiques», par exemple, ou «notre participation effective dans certaines activités politiques au nom de la justice peuvent occasionner des dépenses que nous préférerions ne pas faire[22]». La complexité de nos engagements dans un ministère ou en communauté rendent aujourd'hui l'uniformité désuète sinon encombrante. Notre préoccupation en l'occurrence n'est pas tant l'existence de possédants et de non-possédants en communauté, mais plutôt que cela fasse problème et pourquoi.

Une de mes étudiantes me donnait un jour son interprétation du vœu de pauvreté; pour elle, il ne s'agit pas tant de mettre l'accent sur la possession ou la privation de choses, que de savoir si *les choses ont une prise sur nous*. Elle avait longtemps porté ce problème de la richesse des religieux, m'a-t-elle dit, avant de venir à cette interprétation. Heidegger désigne l'attitude dont elle parle comme le détachement suprême (*releasement*): laisser les choses entrer dans notre vie quotidienne et en même temps les laisser à la porte, c'est-à-dire les laisser tranquilles, comme des choses qui n'ont pas de valeur absolue mais dépendent de quelque chose de supérieur[23].» Nous nous retrouvons encore une fois dans le domaine des dispositions, de cette pauvreté en esprit abordée au début de ce chapitre, qui seule donne l'énergie requise à un lâcher-prise et un laisser-être authentiques.

---

22. *Ibid.*
23. Martin HEIDEGGER, *Discourse on Thinking*, traduction anglaise de John M. Anderson et E. Hans Freund, New York, Harper Torchbook, 1969, p. 54.

L'uniformité dans les possessions est chose du passé et, que cela ait été un fait ou pas, je ne crois pas que nous ayons à en faire le deuil, car je doute que ce fut tellement réaliste ni même sain. Le détachement, la pauvreté en esprit telle que décrite par Heidegger, est rarement réalisée par ce type d'uniformité. Elle est réalisée par un détachement progressif et par la vision acquise tout au long d'une vie. C'est une grâce. Quand je convoite l'ordinateur de Sr X, je ne suis pas plus pauvre qu'elle. Quand le fait qu'elle en ait un ne me dérange pas, qu'il me réjouit même, je suis aussi riche qu'elle. Il n'y a pas grand mérite à s'asseoir seul dans un silence scandalisé devant l'appareil de télévision communautaire, alors que ses frères, ayant chacun leur appareil privé, regardent leur émission favorite chacun dans sa chambre. Ce qui pourrait être utile à tous, ce serait d'explorer les raisons qui les font s'isoler de cette façon. Peut-être que dans certaines situations il faudrait diriger le regard sur celui qui domine l'appareil communautaire car, me semble-t-il, non seulement il ne respecte pas la vie communautaire, mais il devrait remettre en question son propre sens de la pauvreté. Cette personne *possède* ce qui appartient à tous.

Et qu'en est-il de notre budget personnel? Certains en ont un très petit par choix ou par culpabilité; d'autres, un beaucoup plus gros. Certains reçoivent de l'argent de la famille, d'autres reçoivent, à la place, des choses achetées pour eux. À d'autres encore, la famille ou des amis paient le repas à l'extérieur et même les vacances. «Nous sommes des religieux», diront certains, et ils attendent de leur communauté ou des autres qu'ils voient à leurs besoins. Je pense que le problème en l'occurrence ne réside pas d'abord dans le montant que nous recevons ou conservons, mais dans le fait de considérer que «se faire donner» est une façon adulte de vivre. Cette sorte de «pauvreté» peut devenir une excuse pour ne pas grandir; elle peut être une raison de régresser une fois de plus.

Au plan de la société en général, les conséquences de ce qu'on est venu à appeler le «maternage» (*momism*) dans la famille américaine d'aujourd'hui offrent un exemple de cette sorte de régression. Dans un ouvrage qui est en train de devenir un classique de psychologie sociale contemporaine, Hendrik M. Ruitenbeek parle du déclin de la sécurité et de la maturité masculines. Et d'une régression masculine générale causée par ce phénomène. Pour le décrire, il cite Robert Odenwald qui note l'observation d'un enfant de cinq ans à savoir que «les papas paient l'addition au restaurant, mais les mamans donnent l'argent avant de partir[24]». Selon les règles du «maternage», les papas gagnent le salaire, mais les mamans leur donnent leur allocation et leur fournissent tout ce qui s'y ajoute, seulement pour ménager l'image qu'on se fait d'un adulte. En fait, les papas sont traités comme des dépendants plus âgés. Notre propos n'est pas de nous interroger sur les raisons du «maternage», pas plus que sur sa validité (il est déjà, de plusieurs façons, supplanté par le phénomème beaucoup plus complexe des familles à double revenu). Nous considérerons plutôt la ressemblance apparente entre la mentalité de «se faire donner», reliée à cette «sainte» dépendance tant chez les hommes que chez les femmes. Les deux situations, ou bien empêchent la maturation en premier lieu, ou encouragent, plus tard, un retour déplacé à l'enfance. Ni l'un ni l'autre ne favorisent l'acceptation d'une responsabilité financière personnelle ou le développement d'un souci des autres. Quand quelqu'un voit ses besoins, imaginaires ou réels, satisfaits sans implication personnelle significative, il ne peut s'attendre à mûrir. Il est vrai par contre, comme le signale Sandra Schneiders, que les religieux contemporains «participent d'une façon

---

24. Hendrik M. RUITENBEEK, *The Male Myth* (Le mythe masculin), New York, Dell, 1966, p. 17.

plus directe et plus large à l'administration des finances de leur communauté locale ou de leur institut et assument de plus en plus de responsabilité dans les dépenses ordinaires de leur vie[25]». Voilà assurément des pas dans la bonne direction. Toutefois, il est rare que le religieux soit affecté même aujourd'hui par cette participation aux finances communautaires. La prise de conscience semble lente en ce cas. Et alors que je ne veux en rien minimiser l'importance de ce que nous faisons, je ne vois pas encore de changement sensible dans le sens d'une responsabilité financière personnelle et mature. Comme groupe, nous sommes libres de tout souci et totalement pris en charge, et aussi agréable que cela soit, ce n'est tout simplement pas réaliste.

Je n'ai pas de solution toute faite à ce problème. Il est sérieux et requiert plus d'une tête ou d'un cœur pour le résoudre. Toutefois, je ne pense pas que se cacher derrière le droit canonique, qui est intransigeant et opposé à tout changement dans la façon de distribuer et d'affecter l'argent, puisse nous dispenser plus longtemps de faire face à cette situation. Se conformer comme institut aux paradigmes vénérables de la loi ecclésiastique fonctionnera peut-être encore pour nous au plan collectif. Et c'est ainsi que, comme institut, nous pouvons encore aujourd'hui, avec un succès relatif, être «pour les pauvres» et partager la richesse communautaire avec les opprimés. Le montant d'argent que nous sommes en mesure de dépenser comme institut avant d'avoir besoin d'une approbation canonique est assez considérable. Nous pouvons aussi «envoyer» ceux qui parmi nous se sentent appelés à travailler pour la justice, au pays ou au loin, et nous pouvons les envoyer en notre nom et avec notre appui. Aussi louable que cela soit, nos consciences individuelles peuvent s'en trouver endormies. Quand l'institut agit

---

25. SCHNEIDERS, p. 91.

ainsi, je puis aisément m'en attribuer le mérite, ce qui ne me coûte rien. Pourtant, si nous voulons tenir compte de la croissance en responsabilité personnelle pour la justice et, en conséquence, d'une appropriation personnelle du vœu de pauvreté par chacun d'entre nous, nous devons faire face aux questions de maturité et favoriser le développement naturel chez l'être humain qui va de la dépendance par l'indépendance vers l'interdépendance. La loi ecclésiastique (qui méconnaît généralement, si même elle en a conscience, les découvertes de la psychologie du développement et de la psychologie sociale) ne nous sera pas d'un grand secours en l'occurrence, si elle n'est pas en fait une nuisance. Les efforts pour apporter une transformation en ce domaine vont exiger beaucoup de créativité et d'audace; rien de moins que des visionnaires pourront affronter le défi de repenser la tradition et de l'associer avec les intuitions et le savoir contemporains. Il va de soi que nous devons toujours équilibrer le développement individuel en tenant compte des préoccupations plus larges de la communauté, mais nous ne pouvons pas l'ignorer. Des communautés sans statut canonique en ont fait l'essai avec, m'a-t-on dit, un succès étonnant, même au plan financier. Les membres dans certains cas administrent leur propre salaire et donnent ce qu'ils peuvent à la caisse commune. Leur sacrifice, à ce que j'entends dire, est souvent considérable.

Contrairement à ce que notre «formation» peut nous amener à croire, le vœu de pauvreté n'a pas de modèle infaillible, divinement établi. Il y a seulement l'appel à la présence compatissante, au partage, à l'être-pour-les-autres à partir de notre richesse et de notre indigence. Repenser la manière de vivre le vœu de pauvreté comporte de grands risques. En fin de compte, nous ne «vivons» pas le vœu, pas plus que nous le «mettons en pratique», une fois pour toutes. Nous nous engageons plutôt à vivre dans sa grâce et à apprendre de lui chaque jour. L'on peut toujours s'inquiéter des abus, et en s'orientant vers une liberté responsable, il y aura toujours des abus, mais nous pouvons difficilement prétendre que nous en sommes exempts actuellement. En dernier ressort, notre appel consiste à favoriser la croissance vers l'intégralité, la croissance vers la maturité vécue en communauté. La sainteté comme telle ne peut être assignée à un institut mais seulement à ses membres. Tout ce qui la favorise chez eux fera grandir la congrégation elle-même et apportera finalement la justice à l'Église entière.

Questions pour la mise au point, la réflexion, la discussion

1. Avez-vous déjà souffert de votre impuissance devant l'injustice sociale dans le monde? Pouvez-vous en donner un exemple? Comment réagissez-vous à l'affirmation qu'il y a néanmoins dans notre cas une participation involontaire mais réelle à cette injustice, que «nous aussi nous avons les mains sales»?

2. Comment le renoncement oblatif à soi est-il une expression authentique du vœu de pauvreté? «Nous pouvons bien avoir prononcé des vœux en communauté, et cet engagement influera assurément sur notre façon de vivre, mais en dernier ressort la décision de tout donner est nôtre, et cette décision est l'histoire d'une vie de responsabilité personnelle, de culpabilité et de rédemption.» Quelle est votre réaction devant cette affirmation?

3. «C'est seulement lorsque je vois le besoin de l'autre comme un don qu'il me fait, lorsque je me rends compte que celui que j'"aide" me rend la vie, et lorsque mes services deviennent action de grâces, que je vis la solidarité véritable, celle qui me fait un avec le pauvre.» Avez-vous déjà eu cette intuition? Qu'est-ce qu'elle signifie pour vous?

4. Comment est-ce que les œuvres de justice peuvent souffrir de cet «état de sécheresse» décrit au début du chapitre premier?

5. La piété sans les œuvres de la justice peut-elle devenir un piétisme insipide? Est-ce là un danger pour les Églises chrétiennes, pour les communautés religieuses, pour les religieux?

6. Comment, dans votre expérience de religieux, êtes-vous passé de la dépendance à l'indépendance, puis à l'interdépendance? Donnez des exemples appuyant votre expérience. Croyez-vous nécessaire de faire face encore à ce problème? Qu'est-ce que l'interdépendance signifie maintenant dans votre cas?

7. Comment le problème des «possédants» et des «non-possédants» en communauté vous a-t-il touché? Quelle est votre réaction? Voyez-vous le «détachement» comme une réponse appropriée en l'occurrence?

8. Avez-vous vécu cette mentalité de «se faire donner», issue d'une dépendance immature? Comme religieux, comment pouvons-nous favoriser une responsabilité financière individuelle?

4

La communauté en vue de la mission

Dans les chapitres qui précèdent, j'ai cherché à présenter les vœux en général et le vœu de pauvreté en particulier dans le contexte d'une spiritualité holistique. J'ai tenté de prendre mes distances par rapport au dualisme de notre passé et de me demander comment notre façon de vivre nos engagements baptismaux pouvait nous aider à atteindre l'intégralité, la maturité, l'intégrité. Le but de ces pages était de présenter les vœux comme une façon de vivre dans la plénitude des temps et d'entrer toujours plus profondément dans l'événement Jésus Christ. C'est pourquoi j'ai proposé de les comprendre non tant dans le sens de règles — nous disant quoi faire et ne pas faire — mais plutôt dans le sens d'attitudes intérieures. Il s'agit, pour ainsi dire, de nous ouvrir à des dispositions où nous nous tenons et nous sommes tenus, des dispositions selon lesquelles nous nous engageons à grandir, fidèles à un désir toujours plus grand de sainteté et d'intégralité. J'ai laissé entendre que les vœux nous engagent dans un processus ouvert plutôt qu'à livrer un produit fini à un moment donné ou déterminable. Ils constituent un engagement en profondeur qui nous saisit toujours plus pleinement à mesure que nous assumons notre identité de religieux.

Le présent chapitre abordera notre vie consacrée en relation avec la communauté. J'insisterai particulièrement sur le célibat consacré, sur le fait d'aller vers la vie, toute la vie, sur la base de notre identité de célibataire[1]. C'est ma conviction que ce vœu est lié de façon spéciale à notre vie en communauté et que parler du célibat sera peine perdue à moins de comprendre ce qu'une communauté authentique ne peut plus être et ce qu'elle devrait être aujourd'hui. Le contraire, me semble-t-il, est également vrai: à moins de saisir le sens profond du célibat consacré, nos communautés vont décliner, s'atrophier et s'effondrer.

Notre insistance sur la mission

Depuis Vatican II, nous avons consacré beaucoup de réflexion et d'énergie à développer la «communauté en vue de la mission». D'un point de vue holistique, ceci pourrait signifier que nous nous sommes mis en route pour intérioriser et célébrer au milieu de nous la percée multiforme de Dieu dans le monde, et que nous avons tenté de le faire plus spécialement en rendant témoignage à la compassion de Dieu de différentes manières. Une

---

1. Je suis d'accord avec Sandra Schneiders quand elle dit que «le célibat est la caractéristique déterminante de la vie religieuse d'une manière que ni la pauvreté ni l'obéissance ne peuvent l'être. Le célibat distingue la vie religieuse des autres formes de vie chrétienne de la même façon que prendre une autre personne comme conjoint légitime pour le meilleur ou pour le pire distingue le mariage des autres états de vie.» (*New Wineskins*, New York, Paulist Press, 1986, p. 69) Alors que tous les chrétiens sont appelés à suivre la volonté de Dieu dans leur vie (obéissance) et à embrasser la pauvreté en esprit — partager avec les autres et être solidaires de ceux qui sont moins fortunés (pauvreté) —, même si la manière de le vivre diffère selon les appels, la vocation au célibat consacré est donnée à certains et cette orientation de vie spécifique les identifie. Voilà ce que j'entends par «identité de célibataire». (Voir aussi SCHNEIDERS, p. 114)

grande diversité de ministères a fleuri dans la plupart des communautés religieuses, surtout aux États-Unis et, même si plusieurs congrégations s'identifient encore elles-mêmes globalement par l'apostolat de leur fondateur (que ce soit l'éducation, la santé, le travail social, etc.), leur compréhension de ces ministères dans la plupart des cas s'est considérablement élargi, si ce n'est toujours dans l'expression théorique, assurément dans la praxis. Par exemple, il est devenu clair pour la plupart d'entre nous que l'éducation peut se faire de différentes façons et que pour l'éducateur dans l'âme, la salle de classe, c'est le monde. Nous continuons à faire de l'éducation quand nous enseignons dans des écoles publiques, diocésaines ou privées, dans des collèges ou des universités, mais nous savons que nous en faisons aussi quand nous assistons le malade et le mourant et partageons avec lui la parole de Dieu par notre présence et notre amour, ou quand nous rassemblons des gens en faveur de la justice, que nous faisons de la musique ou de la peinture. Nous faisons aussi de l'éducation quand nous nous adonnons à la direction spirituelle, quand nous conseillons, supportons, quand nous organisons des retraites. Dans le domaine de la santé également, nous savons aujourd'hui que la maladie ne s'attaque pas seulement au corps ou à l'esprit, mais qu'elle peut être un phénomène social, et, en conséquence, que la guérison n'est pas limitée à l'hôpital lui-même. Nous travaillons aussi à la santé quand nous conseillons ceux qui sont brisés dans leur esprit ou leur cœur, quand nous réconfortons les déprimés, quand nous remettons en cause un système oppressif, fournissons ou construisons des maisons pour les indigents, travaillons à résoudre des situations conflictuelles et facilitons le dialogue. Les ministères de toutes sortes abondent dans la plupart des congrégations religieuses actuelles. Il semble bien que nous ayons compris et accepté que notre vocation première consiste à servir là où il se trouve le plus grand besoin, et que la composante communautaire de notre activité ne réside pas tant dans l'objet de notre ministère que dans notre façon de le faire, nos motifs et notre but.

Dans les années qui ont suivi Vatican II, nous avons non seulement développé nos ministères, nous nous sommes éduqués en le faisant. Cela est particulièrement vrai des religieuses qui comptent aujourd'hui parmi les femmes les plus instruites aux Etats-Unis. Nous avons pris au sérieux l'appel à servir au sein de la société contemporaine. Étant revenues au charisme de ceux et celles qui nous ont fondées, nous avons constaté notre inadaptation face à un monde plus complexe tant au plan intellectuel que pratique. Nous savions que pour être sœurs et frères de la femme et de l'homme modernes et être vraiment au service de l'Église dans le monde moderne, nous devions y prendre notre place, aller dans les meilleures écoles, et servir de façon responsable en mettant les chances de notre côté, servir en femmes et hommes animés par une façon de voir contemporaine et une réponse de foi contemporaine. Nous savions que le témoignage n'est pas rendu en étant retiré du monde ou avec une mentalité de tour d'ivoire; la guérison, l'intégralité et la sainteté sont réalisées dans ce monde lorsque nous témoignons de l'événement Jésus Christ dans la vie ordinaire et que tous, homme, femme, enfant, en n'importe quelle situation, dans n'importe quelle condition, peuvent dire que l'Évangile leur appartient. Et nous savions alors pourquoi nous devions diversifier nos ministères. Comme notre nombre diminuait, nous les avons d'ailleurs diversifiés encore plus. Nous en sommes venues à vivre, et espérons-le, à croire dans la puissance du «grain de sénevé» et du «levain dans la pâte». Nous avons proclamé l'«Église» et nous l'avons fait nôtre.

Pour la religieuse active, surtout en Amérique aujourd'hui, «Église» et, à l'intérieur de l'«Église», *mission* sont des termes inclusifs, des concepts holistiques. Notre obéissance en tant que témoins visibles du Règne de Dieu dans ce monde consiste à *nous tenir dans une position d'écoute* face aux besoins au fur et à mesure qu'ils se dévoilent parmi nous. Nous reconnaissons aujourd'hui, plus que jamais auparavant — précisément à cause de notre cheminement depuis Vatican II — que les derniers temps (l'*eschaton*) sont arrivés. Il nous appartient de proclamer l'événement Jésus Christ dans toute sa profondeur, sa souffrance et sa gloire par notre présence publique. Pour le religieux contemporain, cela signifie respect du peuple de Dieu et engagement à le soutenir en tout lieu. Nous avons travaillé fort pour nous former et développer nos ministères à cette fin. Les religieux, sans nul doute et sans la moindre exagération, sont parmi les ministres les plus efficaces et les mieux entraînés dans l'Église d'aujourd'hui. Nous excellons dans ce que nous faisons, et le reconnaître devrait nous donner une raison de célébrer.

Mais nous sommes également fatigués, débordés et surmenés, découragés parfois, et en colère. Notre enthousiasme à tous vacille souvent et plusieurs d'entre nous se demandent ce qui a bien pu mal tourner. Il est évident, je pense, que, particulièrement pour les religieuses, le climat dans l'Église officielle n'a pas été très chaleureux dans bien des cas. Le combat que plusieurs d'entre nous avons mené pour obtenir l'approbation de nos constitutions et les contradictions qui persistent entre les enseignements de l'Église dans le domaine de la justice et sa pratique actuelle* suffisent pour mettre en colère et fatiguer même les plus loyales d'entre nous, et celles-ci plus encore peut-être. Je n'ai pas l'intention d'aborder ces questions ici. Il existe des personnes plus qualifiées pour le faire. Je les signale seulement pour être complète et éviter que mes réflexions sur les raisons de

---

* La question des droits de la femme et d'un juste salaire pour les personnes à l'emploi de l'Église sont en cause ici.

malaise et de découragement chez les religieux aujourd'hui ne paraissent simplistes ou trop orientées. Comme nous l'avons vu dans le chapitre premier, nous vivons dans des temps complexes. Il y a souvent, en conséquence, des raisons nombreuses et variées à un même phénomène. Elles ne peuvent être abordées toutes en même temps. C'est un fait que les religieux qui exercent un ministère dans l'Église aujourd'hui sont souvent épuisés et découragés. Une partie du blâme repose certainement sur le climat ecclésial.

L'élément négligé

Toutefois, ce découragement a une autre raison sur laquelle je voudrais maintenant réfléchir, et c'est la vie en communauté elle-même. Elle est à mon sens, comme semblent le confirmer des échanges avec d'autres religieux, l'élément oublié, l'enfant négligé, pour ainsi dire, du renouveau depuis Vatican II. Il se peut que l'énergie dépensée pour la formation aux ministères nous en ait laissée très peu pour la réforme interne, de sorte que le développement réfléchi d'un style de vie approprié aux adultes éduqués que nous sommes devenus soit très en retard — si même, en fait, il a été mis en branle. Souvent, quand j'entends faire référence à la vie religieuse comme à «la communauté en vue de la mission» (c'est-à-dire «*nous avons* la communauté *afin de nous soutenir* dans la mission»), j'ai envie de demander ce qu'il est advenu de la partie «communauté» de ce tandem. Et encore une fois, je me demande si la dimension du «faire» dans notre vie (le ministère) n'a pas été exagérée aux dépens de la dimension de l'«être».

Même aujourd'hui, nous passons de longues heures en réunion (tout ce qui nous reste d'énergie après un ministère absorbant), à rédiger des déclarations sur la mission et à identifier les priorités apostoliques de nos congrégations ou de nos différentes régions. Devant cette diversité, il semblerait que nous sentons le besoin de clarifier ce que nous faisons et de préciser notre unité. Nous espérons ainsi, entre autres choses, présenter à l'Église, au monde comme à nous-mêmes, une unité qui pourra attirer à nouveau des membres et nous donner une orientation: l'identité comme groupe que nous avons perdue quand nous avons cessé de fonctionner collectivement dans nos écoles et nos hôpitaux. Nous nous rassemblons pour discuter et définir ce que nous faisons et pourquoi nous le faisons, espérant, en quelque sorte, vivre un compagnonnage de cette façon. Aussi valable que cela soit, le fait que l'union soit d'abord une question d'être et soit vécue dans des activités seulement à cause de cela semble échapper à la plupart d'entre nous. Avec pour résultat que les priorités de la communauté sont formulées en termes uniquement apostoliques et que la façon de vivre ensemble, de se rencontrer, de se rejoindre reçoit rarement un temps de réflexion quelconque (simplement parce qu'il n'en reste plus), même si ces questions, au creux du cœur de chacun de nous, réclament des réponses.

Pour *agir* avec authenticité, il faut d'abord *être*. Je veux dire par là que quelqu'un doit demeurer dans sa propre intégrité et y puiser son énergie. À cette fin, des communautés salubres, saines et voulues comme telles sont essentielles. La question qui réclame une réponse, en conséquence, porte sur la signification de la communauté pour nous. De quel genre de communauté avons-nous besoin? Comment notre être ensemble peut-il nous soutenir et améliorer nos différents ministères? Une des raisons majeures pour laquelle on a si longtemps négligé de repenser la vie communautaire de façon saine et réfléchie dans notre processus de renouveau consiste précisément dans notre tendance à établir une connection trop étroite entre la communauté et la mission, à établir en d'autres mots, une relation à sens unique.

Même s'il est vrai qu'une communauté de soutien est importante pour une personne engagée, prendre pour acquis que le seul but d'une communauté soit d'améliorer nos ministères la ramène à un moyen en vue de l'action et empêche de la voir dans sa nature propre, dans sa dimension d'être, comme je l'appelle. Il s'ensuit malheureusement qu'on considère la communauté seulement en termes de son ajustement au soutien de la mission. Si bien que nous vivons la vie en communauté davantage comme un «bed and breakfast», pour employer l'expression de Mary Wolff-Salin[2], et nous suscitons exactement le contraire de ce que nous espérions. Une maison à laquelle je suis assignée ou à laquelle je déménage simplement parce qu'elle est avantageuse pour mon ministère en termes d'espace, d'emplacement, de facilités de déplacement, est justement cela: un endroit convenable. Toutefois, cela a peu de rapport avec la communauté, et tant que d'autres questions — des questions appartenant à l'*être* d'une communauté — ne seront pas abordées, je ne peux m'attendre à la voir se former automatiquement. Un endroit convenable ne garantit pas qu'il y ait quelqu'un dans la maison «avec qui j'ai quelque chose en commun, que ce soit l'âge, la formation, les intérêts ou la personnalité[3]». Comment alors s'attendre à vivre le soutien dans une telle situation?

Les moyens sont toujours évalués selon leur à-propos par rapport à une fin. Si le ministère seul est notre fin et occupe tout l'horizon, la communauté, consciemment ou non, sera considérée seulement en fonction de son ajustement à la mission. Mais nous sommes des *personnes* en mission, non seulement des fonctionnaires. En tant que personnes, nous avons des besoins qui peuvent être différents de nos besoins comme travailleurs.

---

2. Mary WOLFF-SALIN, *The Shadow Side of Community and the Growth of the Self* (La face cachée de la communauté et la croissance personnelle), New York, Crossroad, 1988, p. 78.

3. *Ibid.*

Marx peut bien penser que si notre travail nous comble, nous sommes comblés comme chrétiens, nous savons que même Jésus s'est retiré à l'écart pour être avec sa communauté et ses amis, qu'il a choisi ses compagnons et s'est soucié de leur bien-être en tant que personnes. Il s'est aussi arrêté pour se reposer et a demandé à ses disciples d'en faire autant. Notre vie ensemble nous pose aujourd'hui des problèmes urgents: «Les membres [d'une communauté religieuse] ont-ils quelque obligation que ce soit l'un envers l'autre», par exemple, «ou est-ce que leurs obligations se limitent aux gens de l'extérieur? La vie religieuse contemporaine, notoirement active, est-elle une affaire purement individuelle? [...] En d'autres mots, si je fais le travail qui m'est assigné, est-ce que ma vie quotidienne ne regarde que moi?[4]» Est-ce l'apostolat seul qui compte? Voilà, à mon sens, des questions qu'il faut envisager si nous voulons considérer sérieusement les causes de notre épuisement et de notre désillusion face à notre style de vie.

Notre spiritualité, notre charisme, vont plus loin que les priorités apostoliques ordinaires, si importantes soient-elles. La communauté est plus qu'un moyen. Je suis convaincue que la vie en communauté est, en fait, une dimension essentielle de la vie religieuse prise comme un tout. On est *appelé* à vivre en communauté, comme d'autres sont appelés à vivre un vrai mariage[5]. Cela ne signifie pas toujours la proximité physique ou «la vie en commun», mais signifie néanmoins que ceux qui partagent ce lien sont aussi appelés d'une façon spéciale à favoriser et à soutenir la croissance personnelle les uns des autres. Ce n'est ni facile ni sans souffrances. Mary Wolff-Salin affirme que «pour

---

4. *Ibid.*
5. La comparaison avec la communauté conjugale est bien développée par Mary WOLFF-SALIN, voir p. 23.

les religieux, les combats de la vie tant avec Dieu qu'avec la communauté [...] fournissent le matériau brut et les "obstacles à vaincre" dans le processus de croissance[6]». Or celui-ci est traité trop superficiellement si le ministère est perçu comme son seul lieu, et avec trop d'arrogance et de naïveté si on assume que ses exigences sont remplies par le seul exercice d'un ministère, quels que soient l'âge ou l'expérience de celui qui l'exerce. La maturité ou l'individuation est un processus qui nous enveloppe et demeure un défi la vie durant. Elle est «un aspect aussi essentiel de la motivation humaine que la faim, la soif, l'aggressivité, la sexualité et la nécessité de trouver la détente et de parvenir au bonheur[7]». La communauté aide puissamment à réaliser et à poursuivre l'individuation chez le religieux qui y est appelé et qui y vit.

Et la communauté?

Qu'en est-il de la première partie de notre mot d'ordre: «la communauté en vue de la mission»? Quel serait l'arrangement idéal? Sans prétendre offrir toutes les réponses, je propose ces réflexions simplement comme une partie de ce qui devrait être un discernement continu de grande portée dans le point tournant où se trouve la vie religieuse actuelle. Je suis convaincue qu'une communauté dans laquelle chacun et chacune d'entre nous peut habiter sa propre intégrité devra d'abord et avant tout être une communauté non seulement composée de femmes ou d'hommes, mais aussi faite *pour* des femmes et des hommes *en tant* que femmes et que hommes, une communauté d'adultes *pour* des adultes *en tant* qu'adultes. Sandra Schneiders aide à clarifier cette idée en faisant une distinction appropriée entre des communau-

totalité

---

6. *Ibid.*, p. 25.
7. *Ibid.*, p. 23.

tés vécues selon un aménagement de type «famille primaire» ou «famille secondaire[8]». La «famille primaire» est celle dans laquelle on naît. Elle comporte un père et une mère, et ordinairement des sœurs et des frères. En elle, on est un enfant relié à des parents (et à d'autres enfants). La «famille secondaire» est celle qu'on choisit. En elle, on présume que chacun est un adulte, comme le sont par exemple des époux. Dans le modèle primaire de communauté, la plupart des membres fonctionnent habituellement comme des enfants: ils sont conduits et on prend pour acquis qu'au début du moins les décisions doivent être prises à leur place par l'autorité compétente.

Il est évident que ce modèle ne nous est pas inconnu, non seulement parce que nous avons tous été des enfants confiés à des parents, mais aussi parce que plusieurs d'entre nous avons vécu en communauté avant Vatican II. Il est aussi évident que ce modèle ne fonctionne plus pour nous qui sommes devenus des femmes et des hommes éduqués travaillant dans différents ministères. Sandra Schneiders l'exprime fort bien:

> Comme tous les membres d'une communauté religieuse sont des adultes au moins biologiquement et, idéalement, des adultes aussi au point de vue psychologique et spirituel, il est nuisible sinon désastreux pour eux de jouer le rôle d'enfants à la maison tout en essayant de fonctionner comme des adultes dans tous les autres domaines de leur vie. Ce genre de jeu mène, entre autres choses, à l'infantilisme, à la régression psychologique, à l'aliénation de la responsabilité personnelle, à la culpabilité et à la malformation de la conscience. Le vrai rapport entre les membres d'une communauté, quel que soit leur rôle dans le groupe, est celui d'adulte à adulte. Quoi qu'elle soit par ailleurs, la

---

8. SCHNEIDERS, p. 247.

communauté religieuse n'est pas une famille à deux généra-
tions et le modèle de la famille primaire est radicalement
inadéquat en l'occurrence.

Ayant mis de côté le modèle de la famille primaire dans le
cas des communautés religieuses, nous devons en trouver
un autre plus adéquat. Le modèle approprié est à mon sens
celui d'*une communauté d'amis qui sont co-disciples dans la
mission*[9].

Une suggestion semblable a été faite il y a quelques années
par Joan Chittister, lorsque, parlant de l'avenir de la vie religieuse et de la disparition des grandes institutions, elle remar-
quait: «Tout cela va affecter le style de vie autant que l'apostolat,
les relations autant que la tâche. On verra probablement la formation de *communautés d'amitié plutôt que de communautés de
travail*.» Mettant le doigt précisément sur la polarisation que
nous examinons entre la communauté et le travail, elle enchaîne
avec une anticipation intéressante et certainement remplie d'espoir concernant la vie spirituelle: «On mettra également l'accent
sur la vie spirituelle communautaire plutôt qu'individuelle; lorsque les groupes découvriront qu'ils ne sont plus rassemblés par
une tâche commune, ils devront se reconstituer autour d'une
valeur plus consistante qu'une simple philosophie commune[10].»
Les difficultés de la vie religieuse actuelle tournent précisément
autour de ces questions, mais je ne crois pas qu'en général nous
ayons encore trouvé les priorités qui nous rassemblent. J'espère
toutefois que ce que Joan Chittister prévoyait en 1983 est en voie
de réalisation. La crise dans laquelle se trouve aujourd'hui la vie

---

9. *Ibid.* (italiques de B. Fiand).
10. Joan CHITTISTER (Sr), *Women, Ministry, and the Church* (Les femmes, le
ministère et l'Église), New York, Paulist Press, 1983, p. 32-33 (italiques de B. Fiand).

en communauté peut en être le signe et une spiritualité holistique qui crée des liens forts d'amitié et de support mutuel ferait beaucoup ici pour un renouveau authentique.

Mais quelles sont donc ces «communautés d'amitié» qu'elle anticipe? Quelle sorte d'amitié favorise la communauté et la collaboration comme co-disciples dans la mission? Quelle sorte de liens devraient être formés ou devrions-nous espérer dans nos communautés si nous devons en tant qu'hommes et que femmes, en tant qu'adultes véritables, nous soutenir les uns les autres comme ministres de l'Évangile? Je pense qu'une compréhension plus profonde de notre vœu de célibat peut être de grande portée dans la recherche d'une réponse à ces questions.

Le célibat comme vœu de vie communautaire

Ce qui m'a frappée en lisant nombre de nouvelles Constitutions ces dernières années, c'est l'accent mis dans la description du vœu sur le fait d'aimer et d'être aimé au plan communautaire. Il se passe là quelque chose d'original, me semble-t-il: une vision, non pas nouvelle évidemment — Benoît l'avait déjà il y a très longtemps[11] — mais originale pour notre temps, et après plusieurs années de sécheresse.

Plus souvent qu'autrement dans notre tradition ecclésiale, le célibat consacré fut interprété en termes de «renoncement». Ainsi, les décisions de ne pas se marier, de ne pas être actif sexuellement, de ne pas avoir d'enfants ni d'exercer la paternité ou la maternité (toujours, évidemment, en vue d'une fin supérieure), appartenaient aux caractéristiques essentielles de ce vœu. Les livres qui nourrissaient notre étude de celui-ci entraient habituellement dans des détails dualistes et hiérarchiques sur son excellence, sur ses liens avec les différentes étapes de l'amour

---

11. WOLFF-SALIN, p. 8.

humain, avec la pureté, avec la chasteté en général, sur ses visées et ses fins, sur les degrés dans le renoncement, sur la pratique et les déviations[12]. Assurément, l'ascétisme exigé par le vœu n'est pas ignoré dans nos documents actuels, même si on s'y réfère souvent de façon indirecte (en relation avec les motifs apostoliques, par exemple). Ce qui est intéressant cependant, c'est la priorité que certaines notions telles l'«amour réciproque», l'«amitié», le «soutien l'un pour l'autre», reçoivent dans les Constitutions d'aujourd'hui. Nous savons tous que ces modes de relation comportent aussi leur dimension de sacrifice mais, en ce contexte, elle ne se prête pas facilement à l'analyse, à la dissection et elle est rencontrée dans la «vie» plutôt que dans un «catalogue». On peut à la rigueur la décrire, jamais vraiment la définir. Dans nos documents, il semble donc y avoir une invitation allant comme de soi à entrer dans ces «réalités plus profondes», dans ce que Rahner appelle le «transcendantal[13]» — le «mystère» plutôt que le mesurable, le «catégorial». Peut-être devrions-nous poursuivre en ce sens et nous demander ce que «aimer en célibataires consacrés» signifie pour nous. À quoi nous engageons-nous en prononçant ce vœu, quel sens a-t-il au plan de la vie commune?

Dans une conférence que j'ai donnée sur ce sujet à un groupe de religieuses dans le *Mid West* il n'y a pas très longtemps, j'ai voulu faire comprendre que vivre le célibat consacré signifiait *s'immerger dans la souffrance comme dans la joie de vivre pleinement.* «Quand j'ai promis de vivre le célibat consacré, ai-je dit à ces femmes, j'ai promis de cheminer dans la souffrance et

---

12. On trouve un exemple moderne de ceci dans l'ouvrage de Sr Joyce RIDICK, *Treasures in Earthen Vessels* (Des trésors dans des vases d'argile), New York, Alba House, 1984, chap. 2.

13. Karl RAHNER, *The Practice of Faith* (La pratique de la foi), New York, Crossroad, 1983, p. 62.

la joie d'une vie de relation; dans le tumulte, la souffrance, la découverte de moi-même, des autres et de Dieu que l'amour non-possessif va m'apporter[14]. Je me suis engagée à aimer sans réserves en vue du Règne de Dieu[15].» Voilà un appel exigeant! Ce qui ne veut pas dire toutefois que les autres chrétiens n'ont pas d'obligations comparables. Pourtant, ils créent leurs liens en fonction de leur vocation. Pour des personnes mariées, par exemple, l'établissement de liens implique le milieu familial particularisé qui est le leur. Nos liens à nous sont créés avec d'autres personnes non dans un couple mais dans une communauté. Pour l'amour vécu dans le célibat, la communauté est primordiale. Et la question qui me poursuit avec une persistance grandissante, c'est pourquoi la vie en communauté se trouve-t-elle aujourd'hui dans un tel bouleversement. Les paroles de Rahner citées dans le chapitre 2 me reviennent à l'esprit et me semblent particulièrement appropriées à l'expérience de la vie communautaire que font plusieurs d'entre nous: «Affrontez la solitude[16]». Peu de religieux dans les communautés actuelles nieraient vivre dans l'isolement et, chose triste mais vraie, un plus petit nombre encore entrevoit l'occasion de transformer cet isolement en une authentique expérience de solitude.

---

14. Voilà une position contre-culturelle, faut-il le remarquer. Aujourd'hui, les gens s'attendent à ce que l'amour soit doux, décontracté et sans peine. Nous y tombons aussi facilement que nous en sortons et, si les gens ne satisfont pas à nos désirs, nous pouvons toujours, comme le dit John Francis Kavanaugh, «nous amouracher d'une Olivetti», de notre ordinateur personnel, de notre répondeur automatique ou nous engager dans une «relation sans problème» avec une voiture dernier modèle.John Francis KAVANAUGH, *Following Christ in a Consumer Society* (Suivre le Christ dans une société de consommation), Maryknoll N.Y., Orbis Book, 1981, p. 38.

15. Barbara FIAND, *Living Religious Vows in an Age of Change* (Vivre les vœux religieux dans une période de changement), Cincinnati, St. Anthony Messenger Press, 1989, ruban 3.

16. Voir la section du chapitre 2 intitulée «Primauté des dispositions intérieures».

Qu'est-ce qui a si souvent réduit la vie en communauté à un regroupement d'étrangers qui se rencontrent à l'occasion le temps d'un repas, qui font la cuisine chacun à leur tour, qui assistent aux réunions obligatoires, mais ne mettent en commun que ce qui est exigé — souvent pour remplir le rapport requis par la maison provinciale ou le bureau de la «formation permanente» —, des étrangers qui autrement passeraient l'un à côté de l'autre comme des navires dans la nuit, pris par leur ministère, s'asséchant lentement mais sûrement, malgré le soutien occasionnel reçu de leur groupe de pastorale? Pourquoi la vie en communauté est-elle devenue pour plusieurs d'entre nous un pensum plutôt qu'une réalité qui soutient et confirme la vision présentée par nos Constitutions? Il me semble évident aujourd'hui plus que jamais que, lorsque le ministère est accessible à quiconque désire servir et lorsque, par ailleurs, personne n'a besoin de nous pour la formation comme telle, l'entrée de nouveaux membres dans nos communautés dépendra largement de la façon dont nous ferons face à ces questions. Les femmes et les hommes qui se joignent à nous recherchent le soutien dans leur ministère que notre style de vie en communauté rend possible. Si notre vie commune manque de chaleur, pourquoi viendraient-ils? Ils peuvent faire aussi bien seuls le même ministère que nous, pour la plus grande part. Je suis convaincue qu'ils sont à la recherche de ce «quelque chose de plus».

Et cependant, Rahner nous avertit de ne pas donner de réponses rapides à des préoccupations en profondeur, et celles-ci sont sans conteste de cet ordre. Pour creuser ces questions avec respect, nous devons les porter longuement, plutôt que d'en soulager la douleur avec un «petit remontant». Il faut laisser la question nous questionner, même si elle fait mal. Nous avons besoin d'attendre. Ce qui peut signifier ressentir l'isolement, sinon le désespoir. Trop souvent, affirme Rahner, nous voulons des définitions claires, des solutions ordonnées, surtout dans les milieux catholiques. Nous n'avons pas développé l'art de la maïeutique[17] et très souvent nos réponses avortent. ~~Pour vivre~~ une expérience en profondeur, nous devons affronter l'isolement, affronter la peur, nous rappelle-t-il. Nous devons nous endurer *nous-mêmes*. Il s'agit de laisser les expériences humaines ultimes, fondamentales, monter à la surface. Nous ne pouvons pas simplement en parler, il faut les porter jusqu'à ce qu'elles nous transforment.

On ne peut malheureusement suivre des cours pour sentir ou résoudre des problèmes relationnels. Des ateliers où on apprend à s'affirmer et à communiquer peuvent aider, mais le développement personnel qui rejoint les profondeurs du moi et qui de là s'ouvre pour aimer, va beaucoup plus loin. Les expériences humaines ultimes de peur et d'isolement, de douleur et de besoins de croissance ne peuvent être programmés, ni résolus lors d'assises communautaires, même avec les meilleures intentions. On ne peut non plus les ignorer ou les nier, car la douleur ne s'en va pas du fait que l'on refuse d'y faire face. Il s'agit de les *affronter* et de les *endurer*. Pour ce faire, chacun a besoin de temps et d'espace. Il ne sert à rien de nous réfugier dans notre ministère lorsque les choses deviennent insupportables à la maison, car si nous faisons partie de la communauté, ses problèmes ne peuvent être résolus en notre absence. Et quand il s'agit de croissance personnelle, ce que j'en suis venue à appeler l'«excuse des gens en pèlerinage» (ces gens qui changent souvent de résidence) ne tient pas. Les problèmes d'intimité et de croissance prennent du temps à venir à la surface et à être résolus. Que cela nous plaise ou non, ils requièrent une certaine stabilité au plan du groupe; les membres s'engagent envers la même commu-

17. RAHNER, p. 63. *faire découvrir à l'interlocuteur par une série de questions les vérités qu'il a en lui.*

nauté pour quelques années et permettent alors aux liens de se former. Ces problèmes ne feront jamais surface, encore moins seront-ils résolus, dans une communauté où les arrivées et les départs ont des allures de portes battantes, comme chez des personnes qui changent de communautés tous les deux ans ou aussitôt que les relations commencent à être exigeantes (même s'ils invoquent l'«Évangile» comme excuse). Nous nous apportons nous-mêmes et nos conflits non résolus où que nous allions. Personne sinon soi-même, «dans une attente patiente» (*Rm* 8,25), ne peut travailler à sa rédemption (maturation, individuation). Nous avons besoin pour cela d'une communauté d'engagement comme d'un lieu consacré.

Dans ce combat pour des relations authentiques, nous ne sommes pas seuls, si cela peut nous consoler. Même si les idéaux de l'interdépendance mature circulent depuis déjà un bout de temps dans les manuels de comportement humain, leur réalisation effective est extrêmement rare aujourd'hui dans notre culture. La vision du monde de notre temps, telle que présentée dans le chapitre premier, est toujours imbriquée dans des valeurs patriarcales dualistes (et donc masculines). Même si cette vision du monde semble parvenir à une situation-limite[18], générant aliénation et confusion, la nouvelle vision n'émerge que lentement. La consternation que plusieurs d'entre nous ressentons quand nous nous sentons démunis devant le trouble et l'apathie communautaires ne nous est donc pas propre. Nous nous rappelons l'appel de Beatrice Bruteau en faveur d'une authentique «révolution de la conscience», d'un «changement de gestalt», pour employer ses termes, «dans la façon de voir nos relations les uns avec les autres de telle sorte que notre conduite soit reformée

---

18. Voir au chapitre 1: «De nouvelles fondations à nos mythes».

en allant de l'intérieur vers l'extérieur[19]». Cet appel s'adresse à notre culture globale, pas seulement aux religieux. Nous sommes pris dans le même dilemme que les autres, qu'ils soient mariés ou célibataires; l'élan vers l'intégralité les pousse à dépasser le dysfonctionnement culturel dans lequel eux aussi se débattent.

Malheureusement, les crises de culture, tout comme les crises de croissance personnelle avec lesquelles elles sont intimement reliées, ne sont pas résolues immédiatement du seul fait d'être reconnues. Elles nous arrivent et sont dénouées en leur temps. Il peut être utile de les comprendre comme les événements d'une «conscience cosmique», ontologique par nature: nous ne leur commandons pas, nous sommes plutôt tenus en leur pouvoir, alors que nous sommes appelés à une conscience plus profonde et au dépassement qui s'ensuit[20]. Une certaine soumission aux faits, une probité de base qui nous empêche de prétendre aveuglément être préservés du désordre global pourrait être une façon de saisir l'invitation de Rahner à nous «endurer». Cette attitude nous préservera aussi de l'illusion que ces questions sont plus faciles, plus affrontées ensemble dans d'autres orientations de vie (une tentation qui tend à être particulièrement forte dans la crise du milieu de la vie où tant d'entre nous semblent se trouver actuellement).

Appelés à la vulnérabilité

Sans doute que dans la question des relations, nous avons besoin d'accepter ici encore la primauté des dispositions, ce qui est très difficile dans un monde tourné vers l'action et le succès. Je ne crois pas que la communauté soit enrichie d'abord par ce que

---

19. Voir au chapitre 1: «Approfondir nos mythes».
20. Bernard J. BOELEN, *Personal Maturity* (La maturité personnelle), New York, Seabury Press, 1978, p. x, 12, 128, 129.

nous y faisons: le nombre de personnes qui y vivent, le rythme des réunions, l'objet de ces réunions, la présence ou l'absence d'un ordre du jour lors de ces réunions... Même si ces questions sont importantes, notre préoccupation principale, toute simpliste qu'elle paraisse, est en dernière analyse de savoir si nous nous fions l'une à l'autre; si nous pouvons être pauvres, vulnérables, en présence l'une de l'autre; s'il existe, quand nous nous rencontrons, une attitude fondamentale d'ouverture à l'autorévélation de Dieu dans cette réunion. Voilà ce qui va permettre à la communauté de se réaliser et, consciemment ou non, nous savons que rien d'autre ne la fera advenir. Envisager le célibat comme un engagement à nous aimer l'une l'autre trouve également ici son sens et sa place. Nous n'avons pas affaire seulement à des statuts et des règlements, à des données mesurables nous disant ce qu'il faut faire ou ne pas faire. Nous faisons nôtre une attitude, nous ouvrant à la rencontre possible, consentant à être rencontrées.

Le paradoxe qui se présente ici ne peut être ignoré. Nous disons que l'attitude, les dispositions, viennent avant l'action; sans elles, des liens réussis ne seront pas créés quel que soit le nombre des activités. Cependant, c'est dans l'interaction que l'attitude sera approfondie, émondée, renforcée, corrigée. Par l'interaction, la vie nous amène à un célibat mature, à la profondeur dans les liens et les relations. Peut-être que le modèle réflexion-action-réflexion, dont tant d'entre nous ont fait usage dans le processus de discernement, contribuera à l'expliquer. On pourrait dire que l'ouverture initiale s'approfondit et mûrit par l'interaction. Nous allons de l'ouverture à l'action (à l'interaction) et, de là, vers une plus grande ouverture. Voici un exemple qui illustrera ce qui est en cause.

1. Disposition. J'arrive dans une nouvelle communauté avec des dispositions fondées sur une confiance initiale remplie de foi. J'ai essayé de mettre de côté ces préconceptions, présupposés, préjugés et souvenirs négatifs qui peuvent se trouver en moi et dont je suis consciente. J'ai tenté de les mettre entre parenthèse, car il est irréaliste et malsain de penser les oublier. Je décide simplement de ne pas les laisser m'influencer indûment. Je désire un nouveau commencement, une communauté bâtie sur la conviction que la croissance est un processus en cours dans toutes nos vies. Même alors, mon ouverture n'est évidemment pas totale. Comme le reste de l'humanité, je porte les fardeaux de mon passé — de ma facticité, des murs de ma prison intérieure. Ils sont souvent inconscients, enfouis profondément dans le refus et la répression de souffrances passées: une famille dysfonctionnelle, des humiliations et des mauvais traitements subis durant l'enfance, la honte pour une raison ou une autre, un traumatisme, de la culpabilité... Ceux ou celles avec qui je me lie et j'interagis me rencontrent eux aussi à partir de leur facticité — de leur ouverture ennuagée de projections inconscientes, d'attentes non reconnues.

2. Interaction. Nous nous travaillons l'une l'autre. Nous avons souci de l'autre, et nous lui faisons mal. Notre confiance peut tourner en méfiance. Nous ressentons du rejet, de la souffrance. Nous sommes blessées. C'est ici que notre engagement à nous aimer les uns les autres entre en ligne de compte: nous étreignons, avec toute son angoisse, son trouble, sa grâce, le courant de vie auquel nous nous sommes vouées par cette sorte de relation. Nous acceptons d'endurer tout cela, de vivre avec ces heurts, de les laisser nous enseigner. *Et nous prions.* Nous demandons de parvenir à voir comme Dieu voit et à aimer comme Dieu aime. Nous ne fuyons pas la douleur qui monte, pas plus

facticité: - force remise

133

que nous nous affairons dans les tâches de l'apostolat; nous entrons dans une attitude plus profonde d'ouverture, de confiance-devenue-plus-sage.

3. *Dispositions approfondies.* Et, dans la compassion, nous continuons de vivre. Ayant rencontré, et continuant de rencontrer, notre démon de midi, sachant combien faibles nous sommes, nous aidons les autres dans leur fragilité. Nous aimons.

Nous approprier nos sentiments

Plusieurs émotions différentes surgiront à mesure que nous avançons dans une relation, dans le célibat aimant, à mesure que nous faisons communauté. La peur, l'angoisse, se présentent chez ceux et celles d'entre nous qui sont fermement établis dans une formation et des valeurs d'avant Vatican II. Nous n'avions jamais le droit d'exprimer nos sentiments les uns envers les autres, qu'ils fussent positifs ou négatifs. Au cours des années, nous avons donc élevé des murs, parfois sans nous en rendre compte. Nous pouvons être convaincus que ces rationalisations sont l'expression de nos sentiments. Derrière cet abri, nous nous trouvons souvent passivement agressifs, obséquieux, cancaniers «pour le bien de notre sœur ou de notre frère». Nous pouvons croire que notre silence est vertu, tout en étant comme des volcans qui n'ont jamais fait irruption. Peut-être n'avons-nous jamais vécu notre chasteté de célibataire. Nous l'avons plutôt évitée. Nous avons interprété le vide de la «vierge en attente de plénitude[21]», le renoncement à la prise en charge entière de soi, comme un renoncement cherché pour lui-même[22]. Si bien qu'il en est souvent résulté un éloignement de notre centre le plus

---

21. Voir au chapitre 1: «Vers un paradigme holistique».
22. Voir au chapitre 3: «L'appel au renoncement».

profond — de cette partie de nous qui vibre avec vie et passion —, plutôt qu'une union comblante. Les convenances plus que la passion étaient notre règle de conduite. Nous faisions ce que l'on attendait de bons religieux. La force qui nous guidait se trouvait à l'extérieur de nous. Lorsque nous entendons maintenant parler de liens, d'intimité, nous nous sentons confus et troublés. En ce temps-là, l'amitié était crainte et considérée avec suspicion. Exprimer ses idées semblait de l'orgueil, de l'opposition et demeurait la prérogative du supérieur. Nous éprouvions des difficultés dans nos relations, mais nous n'avions pas les moyens de le reconnaître. En parler nous rend donc craintifs et nerveux.

Puis il y a ceux et celles qui sont plus nouveaux en communauté. Nous sommes entrés vraisemblablement *pour* faire communauté, pour créer des liens, établir des relations. Nous voulons maintenant ce pour quoi nous sommes venus, et nous le voulons à notre façon. Nous avons du mal à comprendre pourquoi ceux à qui nous nous sommes joints sont plus réticents. Nous découvrons que nous sommes impatients à l'occasion avec eux, et peut-être les jugeons-nous. Nous voulons dire et montrer ce que nous ressentons, quand nous le ressentons. Nous ressentons parfois les choses de façon passionnée et nous pouvons découvrir, si cela n'est pas déjà fait, que, comme femmes, nous pouvons ressentir ces émotions à l'endroit de femmes, comme hommes, à l'endroit d'hommes. Il se peut que nous ne sachions pas pourquoi ces émotions arrivent si soudainement et nous nous sentons coupables et honteux. Il se peut que nous ne sachions pas quoi faire avec elles. Nous pouvons nous confier puis nous sentir trahis par l'absence apparente de réponse, ou par la peur, ou même par le manque de confidentialité. Ces expériences peuvent être amèrement décevantes pour nous et nous plonger dans la confusion. Nous pouvons en venir à questionner radicalement notre présence en communauté et même vouloir laisser tomber.

135

Il y a aussi ceux et celles qui sont en colère, et c'est peut-être la majorité. Nous sommes en colère contre une communauté qui ne nous a jamais compris ou qui nous a compris trop tard. Nous sommes en colère contre une Église qui ne nous comprend toujours pas ou ne semble pas se soucier de nous. Nous sommes en colère contre nos parents qui étaient alcooliques, narcissiques, qui peut-être étaient pauvres ou qui sont morts trop jeunes, des parents avec qui nous n'avons jamais pu établir de vrais liens et qui ne nous ont donc jamais enseigné le savoir-faire qui maintenant nous manque désespérément. Nous sommes en colère contre le choix de vie que nous avons fait et nous remettons en question les raisons d'alors. Nous sommes esseulés et nous pouvons maintenant nous demander ce que nous faisons dans cette galère, tout en ne voyant cependant pas de raisons suffisantes pour quitter. Nous pouvons être désespérément en recherche d'intimité, mais nous sentons que notre genre de vie ou la réputation dont on nous a accablés dans l'institut nous en empêche. Et peut-être que derrière notre colère, il y a la peur d'être blessé.

Peurs, attentes, désappointements, désarroi, colère, esseulement, nous apportons tous ces sentiments en communauté et dans nos relations. Il est rare que nous les laissions derrière nous et nous ne devrions en refuser aucun. Nous nous disons à nous-mêmes dans la profondeur de notre cœur, tout en luttant avec nos sentiments et peut-être avec notre culpabilité:

> J'ai fait des vœux de religion, je suis une femme, un homme célibataire, aspirant à la chasteté évangélique. J'essaie d'être, selon les termes d'Henri J.M. Nouwen, le *Vacare Deo* [23], l'espace vide pour l'irruption de Dieu, la mère vierge, comme le verraient les mystiques, le miroir dans lequel le

---

23. Henri J.M. NOUWEN, *Clowning in Rome* (À Rome avec un brin de folie), Garden City N.Y., Image Books, 1979, p. 37-58.

divin se manifeste non seulement lui-même, mais elle-même également, peut-être pour la première fois de ma vie — à cause de mon combat pour l'intégralité. Je puis y parvenir seulement si tu m'aides, si, en cheminant ensemble, en établissant des liens et en nous liant, tu m'aides à me révéler à moi-même et à toi qui es le Christ crucifié et ressuscité[24]. Comme je suis ton compagnon, ta compagne, qui fractionne le pain avec toi, sois avec moi sur la route comme je serai avec toi, et je fais le vœu de ne pas abandonner la quête.

Voilà l'étoffe de l'amour célibataire, comme je le comprends, voilà l'étoffe de l'établissement de liens entre hommes et femmes d'une façon honnête, intelligente et interdépendante. Cela n'a rien à voir avec une douceur aseptisée, avec les gentillesses à n'en plus finir, avec l'éternel sourire aux lèvres et l'absence de combat pour être disponible. Ce qui ne veut pas dire non plus qu'on aime tout le monde également. Il s'agit d'intégrité, d'engagement, de respect à l'endroit de la diversité et du désir de croître toujours plus. Il s'agit encore de patience, d'attente et du travail en vue de la rédemption de nos émotions et de nos interactions dans le sang, les sueurs et les larmes de notre présent réel[25]. «Le monde entier, dit Jung, est la souffrance de Dieu, et quiconque [...] désire s'approcher de sa propre intégralité sait que le chemin passe par la croix. Mais la promesse éternelle qui est faite à celui [celle] qui porte sa croix, c'est le Paraclet[26]», l'Esprit de vie qui gémit à l'intérieur de nous.

---

24. Sebastian MOORE, *The Crucified Is No Stranger* (Le Crucifié n'est pas un étranger), Londres, Darton, Longman & Todd, 1977. Tout l'ouvrage est une réflexion sur ce thème.

25. Voir chapitre 2, note 12.

26. C.G. JUNG, *Psychological Reflections* (Réflexions psychologiques), choisies et présentées par Yolande Jacobi et R.F.C. Hull, Princeton N.J., Princeton University Press, 1978, p. 365.

Une femme dans les douleurs de l'enfantement attend — non de façon passive mais créatrice. Notre vie est un processus d'engendrement, un mouvement en Dieu, un laisser-être délibéré, tranquille, chaotique à l'occasion, souvent angoissant. Il n'existe pas de réponses ou de solutions rapides pour apprendre à vivre avec amour. Il y aura les douleurs de l'enfantement et les joies de l'enfantement, il y aura la mort et la naissance à nouveau, et encore, et encore à nouveau.

L'amour célibataire, les liens holistiques, nous appellent à un soutien mutuel honnête et consacré, dans un processus prolongé de maturation et de sainteté. Sans cela, la vie en communauté sera étouffée et nos instituts seront détruits. Le célibat consacré, tel que décrit ici, est le vœu d'une vie en communauté. Si nous osons le vivre pleinement, en dépit des pressions contraires de notre culture, il sera notre véhicule vers l'intégralité. Il nous apportera profondeur et épanouissement, mais il nous conduira, inexorablement, vers l'isolement de la «solitude ultime» dont parle Rahner, car il nous dévoilera l'insuffisance radicale de tout aimer humain et fera que nous serons révélés à nous-mêmes comme les symboles vivants de la nostalgie ultime et ontologique de l'humanité envers son Dieu.

Vivre la tension

Dans un article sur la célèbre poétesse américaine May Sarton, Kathryn North réfléchit sur «son désir de faire face aux défis de la solitude créatrice[27]». Sarton, laisse-t-elle entendre, a trouvé que la récompense d'une recherche de la solitude équivalait à celle qu'on découvre en faisant face «aux défis de relations créatrices», à savoir le «passage d'un état de pur être ensemble à une

---

27. Kathryn NORTH, «Creative Solitude» (La solitude créatrice), dans *Desert Call: Spiritual Life Institute* 21,3 (automne 1986), p. 22.

expérience en profondeur d'*être avec* l'autre; ce qu'on pourrait désigner comme «le moment de vulnérabilité[28]». North écrit: «C'est cette vulnérabilité, cette nudité à l'égard de l'autre qui permet à nos relations humaines de s'ouvrir à une communion en profondeur, non seulement l'un avec l'autre au niveau de la créativité» (et pour nous, il s'agit clairement du niveau de l'apostolat), «mais aussi avec le Fondement de l'Être à ce même degré de profondeur[29]».

C'est peut-être encore une fois le mot «vulnérabilité» qui fournit la clef de notre réflexion. Nous sommes devenus si forts, si occupés, si qualifiés, si professionnels dans ce que nous faisons en différents domaines. Nous nous retrouvons également dans un monde fonctionnel et efficace, dans une structure d'Église fonctionnelle et efficace. Y exceller veut dire se prêter de plusieurs façons à ses valeurs de dureté, de logique, de certitude, d'exclusivité, d'ambition, de pouvoir. Les chemins de la douceur, du mystère, de l'inclusivité, de la compassion et de la vulnérabilité n'ont pas de place dans ce monde ni dans cette Église. Et cependant, ce sont les chemins d'un amour qui est rempli du Christ; telles sont les conditions pour créer des liens, pour se soutenir réciproquement, pour devenir des compagnons et des compagnes, pour former une communauté ressourçante. Nous vivons alors la tension entre les pôles d'une vie très professionnelle et d'une vie communautaire aimante. Une «communauté en vue de la mission» devra tenir compte de cette tension, si elle doit signifier autre chose qu'une pieuse platitude; elle devra l'examiner holistiquement à la lumière de l'Évangile et affronter les excès possibles. Chacun et chacune de nous, comme

---

28. *Ibid.* (italiques de B. Fiand).
29. *Ibid.*

membre d'une communauté et comme apôtre, doit équilibrer ses priorités en toute honnêteté. Ce défi est réel et complexe, mais il est de notre temps. L'ignorer, c'est mettre en danger notre intégrité personnelle et communautaire.

Quelques réflexions sur notre situation existentielle

Au début de ce chapitre, nous disions qu'une communauté qui nous aide à être pleinement nous-mêmes dans la vérité de notre propre intégrité doit être non seulement une communauté composée d'adultes, mais de membres *en tant qu'*adultes. Le modèle de la «famille primaire» ne convient plus, que le rôle de parents soit joué par les supérieurs, pasteurs, modérateurs, coordonnateurs ou simplement par nos sœurs et nos frères qui se donnent ce rôle ou à qui nous le donnons. De vrais rapports humains exigent une sensibilité qui tienne compte des distances affectives. De même qu'une communauté religieuse n'est pas possible quand les gens vivent côte à côte sans se rencontrer, pris par leur besogne respective comme les résidents monocellulaires d'une tour d'habitation, elle est aussi impossible pour de grands enfants exigeants qui n'ont jamais appris à vivre avec la pauvreté de leur personnalité authentique[30] et qui, en conséquence, posent comme condition de cohabitation pacifique la satisfaction de tous leurs besoins d'enfants gâtés. À la suite de Barbara Schneiders, j'ai proposé comme modèle sans doute plus adapté à une communauté d'adultes «la communauté d'amis qui sont co-disciples dans l'apostolat».

On ne peut pas présumer qu'il est facile d'entrer dans un tel modèle. Il ne s'agit pas d'une simple décision courante. L'art d'établir des relations interdépendantes est un «territoire vierge»

---

30. Voir la section du chapitre 3 intitulée «Un oui personnel».

sur la carte du développement humain, et même si les bonnes intentions peuvent toujours être utiles, la mise en place d'un tel réseau au jour le jour ne va pas sans douleur. Le problème principal consiste dans le fait que, même si la maturité (l'individuation) est surtout l'affaire de nos années de vie adulte, l'âge adulte et la maturité ne coïncident pas nécessairement. Alors que le premier est linéaire et peut être identifié avec une relative exactitude chronologique, la seconde est un processus en spirale auquel nous nous abandonnons plus que nous l'effectuons. Nous sommes poussés par le désir de la maturité un peu comme nous sommes poussés par la faim, la soif et le désir du bonheur. Mais ces élans ne peuvent être provoqués à volonté. Pour ce qui est de la maturation, le mieux qu'on puisse faire est de rester ouvert, disposé et prêt. «Le vent souffle où il veut» (*Jn* 3,8), et avec l'intensité qu'il choisit. En faire l'expérience peut avoir l'air d'une épreuve à l'occasion, même si c'est toujours une grâce. De telle sorte que même si nous entrons en communauté avec les meilleures résolutions, les diverses étapes de notre itinéraire apportent beaucoup de souffrances et de conflits. Et l'appel à s'abandonner, puisque la croissance se fait à plusieurs niveaux, peut souvent être difficile à entendre.

> Nous entrons dans la vie religieuse comme dans le mariage, en apportant les images d'un passé encore insuffisamment intégré. Apprendre à ne pas les projeter sur les autres est un processus prolongé. Les figures d'autorité sont les cibles les plus faciles, comme toute autre personne forte, douée, ayant des aptitudes de chef, manipulatrice ou tout simplement très différente de nous. C'est un long combat de découvrir que la plupart des passions soulevées par ces questions sont liées à mon propre monde intérieur et à mes conflits, plutôt qu'aux gens ordinaires (et moins ordinaires des fois) en chair et en os, qui m'entourent. Peu de gens et

d'institutions jouissent de l'autorité et du pouvoir que nos complexes tendent à projeter sur eux[31].

Apprendre qu'il en est ainsi (neutraliser les projections), est pourtant une tâche ardue et nous sommes portés à souffrir beaucoup, d'une souffrance dont nous sommes souvent les (inconscients) auteurs.

Rencontrer l'ombre

Même si cette parole semble dure, il y a du vrai dans l'affirmation qu'en beaucoup de situations, au plan communautaire comme au plan personnel, nous sommes opprimés dans la mesure où nous le permettons. Dans le premier cas, nous attribuons à la lettre du règlement beaucoup plus de pouvoir qu'elle n'en mérite pour la simple raison que nous ne sommes pas prêts à prendre le risque d'une interprétation responsable. Dans le second cas, n'est-il pas vrai que l'oppression provient, dans beaucoup de communautés, d'un dysfonctionnement auquel nous n'avons pas fait face? Combien souvent la moue, les colères, les larmes, les plaintes ou les commérages de Sœur X dictent-ils les décisions des individus ou de la communauté? Combien de fois ne cédons-nous pas à celui qui parle le plus fort ou qui est le plus effronté, pour nous demander ensuite pourquoi le discernement communautaire ne fonctionne pas? Pourtant, nos peurs, nos inquiétudes, nos sentiments d'infériorité, notre répugnance à la confrontation, notre hésitation à prendre la parole comme à prendre des décisions et des responsabilités s'enracinent autant dans un passé insuffisamment intégré que dans les humeurs de Sœur X ou dans le culot de Frère Y. De plus, ce que nous voyons chez les autres est souvent exacerbé par notre propension au

---

31. WOLFF-SALIN, p. 25.

même travers, même si celui-ci n'est pas reconnu ou s'il a été réprimé depuis l'enfance, et souvent obscurci en cultivant délibérément son contraire. Une de mes amies m'a fait part de son étonnement extrême devant la fréquence des projections dans les situations conflictuelles: «J'observe, dit-elle, et je m'étonne de voir comment le Frère M. ne se rend pas du tout compte qu'il fait précisément ce dont il accuse son compagnon.» Jung va dans le même sens que mon amie si on en croit certains aphorismes rapportés par Yolande Jacobi et R.F.C. Hull et qui méritent d'être retenus:

> Notre refus de voir nos propres fautes et la projection de celles-ci sur les autres est la source de la plupart des querelles; et cela nous assure que l'injustice, l'animosité et la persécution ne sont pas près de s'éteindre.

> La haine [d'une personne] se concentre toujours sur la chose qui la rend consciente de ses propres défauts.

> Une personne qui n'est pas consciente d'elle-même se comporte de façon aveugle et instinctive, elle se laisse de plus duper par toutes les illusions qui naissent lorsqu'elle voit tout ce dont elle n'est pas consciente en elle-même venir la rencontrer du dehors, comme des projections qu'elle prête à son voisin[32].

Jung note évidemment que ceux sur qui nous projetons nos ténèbres (ou, d'une façon, nos clartés) ne sont pas nécessairement sans faute: «Même la pire des projections se trouve au moins un crochet, si petit soit-il, un crochet offert par l'autre personne[33].» Néanmoins, on peut affirmer sans crainte que notre aptitude à percevoir tant le vice que la vertu chez un autre est

---

32. JUNG, p. 224-225.
33. *Ibid.*

directement proportionnelle à notre inclination en ce sens. Avoir conscience de ceci, que Jung appelle notre «ombre», pourrait grandement favoriser une interaction communautaire saine et compatissante plutôt qu'une confrontation destructrice.

Bien qu'elle apparaisse souvent comme un adversaire, l'ombre que nous rencontrons dans la vie commune, si elle est reconnue ouvertement et acceptée, est en réalité un appui précieux dans la recherche de la maturité et de l'intégration. Plusieurs d'entre nous, qui sommes à mi-chemin de notre vie, reconnaissons dans cet archétype de l'ombre le portier de la seconde demie de la vie. Affronter les dimensions cachées et redoutables de ma personnalité et survivre pourtant, plus encore en venir à connaître la paix dans cette rencontre et, pour la première fois de ma vie peut-être, aller au devant de mes sœurs et de mes frères en les voyant comme compagnons dans ces brisures, voilà qui déverse des rayons de lumière dans les ténèbres et accomplit la rédemption des péchés. Et cela favorise une véritable maturation. En vérité, les possibilités de croissance entrevues ici dans l'interaction de la vie commune ne présentent pas la communauté comme un oasis béni de tranquillité, mais, comme le dit si bien Mary Wolff-Salin: «S'il n'y pas de conflit, pas d'honnêteté, pas d'ombre, rien de réel ne peut être construit. Mais si je suis capable de partager avec ceux qui m'entourent mes faiblesses et mes douleurs aussi bien que mes forces, ma méchanceté aussi bien que mon amour, peut-être vaut-il la peine de se débattre dans une harmonie moins parfaite en apparence[34].»

Évidemment, les gens de quarante ans ne le voient pas du même œil, eux qui ont particulièrement besoin de paix et de tranquillité, même si, souvent sans le savoir, ils contribuent à leur propre malaise comme à l'agitation de la communauté par

---

34. WOLFF-SALIN, p. 37.

le trouble intérieur qu'ils vivent. Ainsi, c'est durant cette période où une communauté sympathique serait d'un grand secours, que la tentation de s'en éloigner est souvent la plus forte. Il n'y a pourtant pas d'autre moyen de rencontrer notre ombre qu'en interaction avec les autres. Reconnaître et accepter que nous sommes essentiellement des êtres-avec n'est probablement jamais aussi nécessaire qu'au milieu de la vie et il me semble tragique que notre vie communautaire n'offre guère d'appui alors que la majorité d'entre nous vivons cette étape du chemin de la maturation. L'exode en petit appartement de certains de nos membres les plus actifs (même s'il faut tenir compte que l'apostolat et le développement personnel peuvent apporter souvent des raisons très légitimes à ce fait), semble indiquer qu'il faudrait réexaminer sérieusement notre vie ensemble si nous voulons vraiment promouvoir notre transformation tant personnelle que communautaire et croître en intégralité. Mary Wolff-Salin le dit fort bien:

> Le combat pour neutraliser les projections et intégrer les aspects plus ténébreux de la réalité, la lutte pour trouver et prendre contact avec sa propre autorité tout en reconnaissant celle des autres, le travail pour composer avec le sexe opposé — en soi et autour de soi —, tout cela constitue autant d'étapes nécessaires dans la réalisation du moi véritable et de l'ouverture à un Être plus profond et plus grand que le sien propre. La vie en communauté peut contribuer à cette démarche. Mais elle n'est pas un moyen de tout repos[35].

---

35. *Ibid.*, p. 37-38 (italiques de B. Fiand).

Réflexions sur l'intimité

Le passage à une «communauté d'amis» suscite aussi de nombreuses questions pratiques sur l'intimité. Pour commencer, nous savons tous que les liens d'amitié que nous formons dans la vie religieuse ne peuvent atteindre le même degré de profondeur avec chacune des personnes avec lesquelles nous vivons, pas plus qu'ils ne sont refusés à des personnes qui ne vivent pas avec nous. Ni l'une ni l'autre situations ne seraient réalistes, elles seraient en fait pratiquement impossibles compte tenu de la condition humaine. Le type de personnalité, les intérêts, l'éducation et les acquis, l'expérience de la vie, la culture, l'ethnocentrisme et de nombreux autres facteurs jouent un rôle, de façon souvent intangibles, en attirant deux personnes l'une vers l'autre ou en les maintenant éloignées. Sans doute sommes-nous tous membres de la même communauté, réunis par le même charisme et voués à l'avancement du Règne de Dieu, mais il n'existe pas de garantie que nous allons tous, en conséquence, être également attirés l'un vers l'autre, aussi beau que cela puisse être. Le vœu de célibat, tel que j'ai essayé de le comprendre en ces pages, met l'accent sur notre disposition à nous aimer l'un l'autre, pas nécessairement sur l'attrait que nous pouvons avoir l'un pour l'autre. Nous sommes appelés à entrer dans la vie commune, à la vivre en plénitude, ouverts à la possibilité d'établir des relations avec toute la beauté et la souffrance que cela comporte. Cette insertion connaîtra ses morts et ses résurrections, ses proximités et ses distances, ses aspects négatifs comme positifs. Et vivre cette insertion signifie les affronter honnêtement. S'ouvrir à la création de relations ne signifie pas que nous pouvons être tout pour tout le monde, que nous pouvons être présents en tout temps à tous les membres de la communauté de la façon précise qu'ils le désirent ou en ont besoin. Pas plus que nous ne pouvons nous attendre à la même chose de leur part.

Il est vrai que selon le modèle de communauté dans lequel plusieurs d'entre nous furent formés, nous avions l'habitude de tout faire ensemble, et certains d'entre nous ont pu croire à l'époque que cela signifiait l'union et l'amour. Mais nous savons maintenant, si nous ne le savions pas alors, que des interrelations authentiques ne se résument pas à des activités communes: se lever ensemble, faire ses prières ensemble, aller en classe ensemble, prendre ses repas ensemble, repriser des bas ensemble, jouer au ping pong ensemble et ainsi de suite... La proximité physique de mes frères et de mes sœurs ne garantit pas leur présence. Des interrelations authentiques appellent plutôt la seconde condition. Or la présence ne s'obtient pas nécessairement en suivant les exigences de la proximité physique qui peut même l'étouffer, si elle s'avère trop lourde.

Tout ceci paraît évident et on se demandera avec raison s'il vaut la peine d'en faire même mention. Après tout, depuis vingt-cinq ans ou plus, nous vivons dans des conditions de vie communautaires qui sont passablement différentes de celles dans lesquelles plusieurs d'entre nous furent formés. Nous avons peine maintenant à trouver du temps pour prier ensemble. Pourtant, il me semble que dans le domaine des besoins affectifs il existe néanmoins une tendance à réclamer la présence physique comme un droit dans le but d'éviter l'exclusion, vraie ou perçue telle; de même, le fait d'être ensemble deviendra un substitut à l'intimité et permettra ainsi d'éviter le rude travail que celle-ci signifie. Pourquoi cette irritation quand des amis vivant ensemble dans une communauté locale vont prendre un repas à l'extérieur, par exemple, ou quand nous les voyons faire une promenade ensemble ou partir en vacances sans nous? Par contre, nous pouvons, quant à nous, appeler nos amis les plus proches aussi souvent que nous le voulons et organiser toutes sortes de sorties. Pour autant qu'on voit quelqu'un quitter la maison seul, personne dans la communauté ne peut se sentir exclu. Aussi enfantin que cela puisse paraître, il arrive même aujourd'hui que des amis s'abstiendront de vivre ensemble afin d'éviter les pressions de la communauté et l'effort d'avoir à défendre les relations dont ils ont besoin. On ne peut vivre sa vie pleinement sans faire face à ces questions d'intimité honnêtement et librement. Ma communauté n'est pas un chez-nous si je ne puis y satisfaire au moins certains de mes besoins affectifs. Et la solution ne consiste à former des couples, loin de la communauté. La vie de couple appartient à une autre vocation*. Notre cheminement vers l'intégralité comprend la recherche de solutions aux défis relationnels et cela devrait être possible à l'intérieur même de la communauté. Pourtant, c'est rarement le cas. Ces questions nous semblent trop douloureuses ou trop complexes pour nous y attaquer.

Ces observations ne signifient pas à mon sens qu'une amitié intime est un droit et devrait être exigée ou attendue quand on entre en communauté. L'intimité croît d'elle-même dans une relation; c'est un don. Nous nous sommes engagés à une ouverture aimante les uns vis à vis des autres. Tout ce qui vient en plus est grâce et nous ne pouvons pas faire grand-chose pour le mériter. Le «millième homme» (ou femme) de Kipling est chose rare, mais heureuses les communautés qui favorisent cette éclosion, car, dans une amitié, une grande croissance devient

---

* Je ne veux pas laisser entendre que la cohabitation de deux religieux ou religieuses signifie nécessairement une vie de couple. Plusieurs raisons peuvent faire qu'une communauté est composée de deux personnes seulement. Mais si le retrait de la communauté plus large en est le motif premier et permanent, et si le désir d'être exclusivement avec un ami prédomine, je ne suis pas fidèle au célibat consacré. La question tourne autour de la proximité et de la distance affective appropriée auxquelles notre célibat nous appelle. Il s'agit d'un problème à démêler et des amis ont besoin de temps et de soutien pour le faire. Je crois qu'une communauté aimante et sincère peut être d'un grand secours en l'occurrence.

possible tant pour la communauté qui la nourrit que pour les personnes impliquées. Au cours d'une période de dure lutte dans le domaine relationnel, une de mes amies m'a donné ce vers qui l'exprime à merveille: «L'amour, comme Dieu, nous rend libres pour souffrir l'un pour l'autre, nous ramène à l'origine, nous crée à nouveau.»

Il est peut-être vrai que seule l'intimité permet l'intimité. Quand nos communautés deviendront de vrais chez-nous et que nous serons sans crainte les uns devant les autres, l'intimité cessera d'être menaçante et nous pourrons commencer à l'envisager pour ce qu'elle est, un phénomène appartenant à la maturité. Quand nous ressentons de la peur en présence des autres, nous cherchons habituellement à les éviter; nos conversations avec eux, même si nous les appelons des «partages», sont, comme le dit Henri Nouwen, insipides et sans lendemain. Parfois, nous créons une fausse proximité: nous «parlons trop longtemps avec eux, rions trop fort de leurs blagues, acceptons trop vite leurs opinions[36]». De toute façon, notre manière d'être ensemble est artificielle, forcée. «La peur nous empêche de former une communauté intime où nous pouvons grandir ensemble, chacun ou chacune à sa façon», où nous pouvons «confesser nos péchés les uns aux autres, nos cassures, nos blessures», où nous pouvons «nous pardonner mutuellement et venir à la réconciliation[37]». D'un autre côté, l'intimité donne de l'espace pour la croissance, pour la petitesse et la vulnérabilité, et pour la sincérité. L'amitié authentique en est la conséquence naturelle.

Trop souvent dans le passé, notre empressement à créer des communautés où des liens forts devaient se développer a abouti

---

36. Henri J.M. NOUWEN, *Lifesigns* (Signes de vie), Garden City N.Y., Image Books, 1986, p. 31.
37. *Ibid.*, p. 31-32.

à une intimité forcée, pleine de peur ou alors à une rupture totale des relations. Créer des liens ne se fait pas sur commande et ne peut être planifié, même dans les maisons de formation. Les conditions nécessaires à l'apparition de relations en profondeur sont supprimées par une participation par décret aux affaires de la communauté et aux réunions où on attend de chacun ou chacune un partage et où on l'exige même (parfois avec des critères de mesure tacites: «elle ne parle jamais, elle est probablement trop indifférente pour s'en faire»). Une telle participation engendre la peur. Je ne veux pas dire que si nous nous aimons réciproquement, nous ne pourrons pas nous interpeller et faire des efforts pour nous impliquer l'un l'autre, mais l'amour *précède toujours* l'interpellation, et non le contraire, et c'est un amour qui doit être ressenti, vécu, non seulement énoncé.

> Sœur X, qui fait partie d'une communauté de six, n'est jamais à la maison. Elle passe son temps avec sa famille et à son apostolat. Les sœurs la voient prendre un café tôt le matin, parcourir le journal, puis partir en voiture pour la journée, et revenir trop tard dans la soirée pour établir quelque contact significatif. Établir la date d'une réunion avec elle est à peine possible. Ses consœurs lui écrivent des notes afin de la rejoindre avant qu'elle ne parte à nouveau. Mais elle n'est tout simplement pas là. Les autres sont désolées et se demandent quoi faire. Elles se réunissent — les cinq — pour compatir et décider de faire quelque chose. Quelques unes ont déjà fait des allusions en la voyant: «Oh! tu es à la maison. Quel événement!» Mais sans résultat. D'autres ont signalé la chose à des sœurs qu'elles savent la connaître, espérant qu'elles pourront lui en parler. D'autres ont individuellement tenté de signaler le sérieux de la situation à la coordinatrice de vie communautaire. Elles en sont venues à la conclusion de signaler le problème à la provin-

ciale lors de sa prochaine visite régulière dans l'espoir qu'elle pourra faire quelque chose.

Le scénario nous est familier. On le retrouve partout. Quel est le vrai problème? Si sœur X est absente et qu'elle nous manque vraiment, qu'est-ce que la provinciale peut faire? Sœur X n'aurait-elle pas cent bonnes raisons d'être absente, et les remarques de la provinciale auront-elles pour effet d'accentuer son désir de demeurer à l'écart? Qui manque quand elle n'est pas aux réunions communautaires? Est-ce sa présence physique — ce résident additionnel qui porterait le compte à six? Je me demande si l'une d'entre nous a jamais pensé à parler à sœur X (à la rejoindre vraiment) dans des situations semblables pour lui dire qu'elle nous manque. Peut-être que nous pourrions veiller un peu plus tard un soir et l'attraper durant les nouvelles de onze heures, pour partager avec elle et lui dire que sa présence est importante pour nous: «ma Sœur, vous nous *manquez* vraiment; vous *me* manquez». Nous pourrions lui dire que nous savons qu'elle est occupée, mais que nous aimerions vraiment aller prendre un repas avec elle une bonne fois et aller au cinéma ensemble.

Je me souviens m'être servie de cet exemple en parlant de la communauté et du célibat à un groupe de religieuses, il n'y a pas longtemps. Durant la période de questions, une sœur voulait savoir ce que l'on devrait faire si sœur X ne manquait pas vraiment à quiconque. Cela est de fait possible. La raison de son absence peut justement résider, consciemment ou non, en cela même; mais par ailleurs, son absence, après un bout de temps, peut aussi amplifier notre indifférence. Mais notre vœu de chasteté nous engage à nous aimer les unes les autres. Le minimum requis, à mon sens, sera d'être ouvert à la rencontre possible. La tragédie de nos vies ensemble aujourd'hui tient au fait que nous ne ressentons justement pas le manque. C'est que, à mon sens, nous ne nous sommes jamais vraiment rencontrées.

Notre nostalgie de Dieu

Dans son livre *Inner Loneliness* (L'isolement intérieur), Sebastian Moore a l'audace de suggérer que le désir qui pousse des gens désespérés à s'adonner à l'alcool ou à une drogue quelconque est au fond le désir de remplir leur vide lancinant par un amour sans réserve, sans condition, sans fin, en d'autres mots, par Dieu[38]. «Dans les profondeurs de mon isolement ultime, dit-il, là où personne ne peut me rejoindre, je désire qu'il y ait un Autre dont l'existence même est d'"exister pour moi", dont la personnalité n'est pas un refuge où il se retire pour me laisser la mienne.» Il me faut quelqu'un qui soit «lié à moi par son être même, et qui soit autre que moi. Et voilà ce que tout le monde appelle Dieu[39]». Moore prétend que l'isolement humain devant l'ultime est souvent mal orienté parce que son intensité peut devenir presque insupportable. «Les gens essaient de combler *les uns par les autres* l'exigence insatiable de leur isolement intérieur, afin d'entrer pleinement et d'être guidés dans l'extase qu'est l'existence. Ce besoin de Dieu en nous est manifesté par le fait que nous attendons chacun de l'autre qu'il soit Dieu pour nous[40].» L'histoire de l'amour humain en est une de soif insatiable.

Religieux et religieuses n'échappent pas plus à cette aventure qu'aux autres aspects de la condition humaine. Nous avons peut-être espéré qu'en nous joignant en tant qu'adultes à une communauté d'adultes faite pour des adultes, nous éviterions la souffrance de ces attentes d'intimité mal placées et même de dépendance émotive maladive. Ce n'est cependant pas le cas. L'âge adulte, comme on l'a signalé, n'implique pas nécessairement la maturité. Comme la maturité est un processus en spi-

---

38. Sebastian MOORE, *Inner Loneliness*. (L'isolement intérieur), New York, Crossroad, 1982, p. 15-16.
39. *Ibid.*, p. 22.
40. *Ibid.*, p. 34

rale, elle a tendance, sans égard à la souffrance causée, à nous ramener encore et encore dans notre passé pour nous conduire à des niveaux plus profonds d'intégration. Cette idée est difficile à accepter dans une culture où «s'être ramassé» une fois pour toutes est le signe d'une excellente intégration. Dans mon travail, je dis souvent aux gens: «S'être ramassé vraiment signifie savoir qu'on ne l'a pas fait.» Telle est la vérité sur la maturation comme cheminement; un processus plutôt désordonné en général, et qui suit péniblement son propre rythme.

Il est bon de savoir que par rapport à l'«isolement intérieur» et à la possibilité d'affection mal placée, les religieux contemporains se trouvent comme groupe dans une situation particulièrement vulnérable. Pour commencer, selon le docteur Charles L. Whitfield, «de 60 à 80 % des religieux et des religieuses viennent de familles souffrant de dysfonctionnement[41]». Plusieurs d'entre nous faisons partie de ce qu'Alice Miller appelle les «prisonniers de l'enfance»; vu l'incapacité de leurs parents d'être de vrais parents et d'être ce dont ils avaient désespérément et avec raison besoin, ces femmes et ces hommes ont appris tôt dans la vie à renverser les rôles, devenant «des enfants bien élevés, fiables, compréhensifs, à leur place», mais qui pour une bonne part n'ont jamais eu la permission d'être des enfants, si bien qu'ils passent maintenant une bonne partie de leur vie adulte à chercher cet amour perdu[42]. Alice Miller écrit son livre d'abord pour des thérapeutes qui, vu leur sensibilité et leur attention aux sentiments des autres, ont en fait développé les vertus correspondant à leur détresse, mais non sans souffrance, c'est-à-dire la

---

41. Cité par Marilyn WUSSLER, s.s.n.d., m.s., «Don't Is a Four Letter Word», dans *Human Development* 10,1 (printemps 1989), p. 19.

42. Alice MILLER, *Prisoners of Chilhood* (Prisonniers de l'enfance), traduit par Ruth Ward, New York, Basic Books, 1981, p. 15. (Publié par après sous le titre: *The Drama of the Gifted Child*; traduction française: *Le drame de l'enfant doué. À la recherche du vrai soi*, Paris, PUF, 1983.

souffrance de faire face, de pleurer, de faire son deuil et ultimement d'abandonner ce qu'ils n'ont jamais vraiment reçu et ne recevront jamais non plus. Bien des religieux sont, à cet égard, comme les thérapeutes. Ils ont développé dans leurs jeunes années une attention prévenante aux besoins de leurs aînés afin d'obtenir un peu d'amour. Leurs besoins légitimes, pourtant, ne furent jamais satisfaits. Ils sont devenus comme des éponges absorbant la souffrance des autres, alors que leur propre besoin d'être aimé demeurait une plaie ouverte. Leur souci apostolique et leur attention aux besoins des autres parlent souvent aujourd'hui de l'oubli dont ils furent les victimes dans leur enfance. Eux aussi ont besoin maintenant d'un lieu où ils peuvent venir à percevoir la futilité de chercher dans leur vie adulte ce dont ils furent privés dans leur enfance et qui ne sera jamais tout à fait leur en termes humains. Ils ont besoin d'en faire le deuil et d'y renoncer.

L'idéal serait de régler ces problèmes avant d'entrer en communauté. Inviter nos nouveaux membres à suivre une démarche de counseling les aidera sûrement en l'occurrence. Toutefois, il se peut que le maître des novices soit encore aux prises avec les mêmes souffrances et avec ses propres combats affectifs, tout comme le supérieur provincial, et le supérieur général, si bien que les nouveaux membres les retrouveront aussi dans le voyage de la vie, puisqu'il s'agit de problèmes qui ne se dénouent pas rapidement. Il y a vraiment si peu à faire devant la condition humaine, sinon la reconnaître et soutenir les autres en espérant la même chose de leur part. C'est tout le sens du «vœu de s'aimer les uns les autres en communauté», comme j'ai essayé de le dire. L'abandon, pour définitif qu'il puisse paraître, n'est pas une décision prise une fois pour toutes. Nous mourons à nous-mêmes chaque jour à des niveaux toujours plus profonds.

Un deuxième facteur à considérer dans cette réflexion sur la vulnérabilité particulière des religieux et des religieuses en communauté aujourd'hui est le fait que la grande majorité des membres actifs dans nos congrégations entrent, s'ils ne s'y trouvent pas à fond, dans les problèmes du milieu de la vie. C'est durant cette seconde partie de la vie en particulier, que le besoin d'une intégration intérieure nous saisit et que nous sommes appelés à ré-articuler pour ainsi dire nos histoires individuelles avec nos vies. Les besoins d'intimité, qui pouvaient n'avoir pas été consciemment ressentis ou reconnus auparavant, ou que nous ne savions peut-être même pas que nous avions, font souvent surface avec une acuité inquiétante durant cette période de la vie. Il y a diverses raisons à cela comme le signalent les auteurs de *Chaos or Creation*:

> Le sens grandissant de la mortalité qui crée la mentalité courante de la «dernière chance»; la découverte de mes propres puissances négatives qui me poussent à désirer une relation intégrale et parfaite; le vide de mes relations personnelles ou de ma vie de prière (ou des deux) qui me laisse seul et asséché, dans l'attente d'être comblé[43].

Et, comme on vient de le dire, il y a les carences affectives de l'enfance qui finissent par percer au travers des tabous causant leur répression et qui reviennent maintenant me hanter, accompagnées de combats pour pardonner et de sentiments profonds d'isolement et d'insuffisance. Et ce n'est pas tout. Le bouleversement et la confusion au plan affectif, tout comme la reconnaissance déchirante de besoins, peuvent devenir à l'occasion insupportables. Il n'est dès lors pas rare que des attachements affectifs profonds se forment afin de passer au travers de la tempête, parfois pour l'éviter ou la remettre à plus tard. Des religieux peuvent faire l'expérience de «tomber amoureux» au

---

43. L. Patrick CARROLL, s.j., et Katherine Marie DYCKMAN, s.n.j.m., *Chaos or Creation* (Chaos ou création), New York, Paulist Press, 1986, p. 122.

sens strict, une expérience à laquelle ils ne s'attendaient pas, surtout dans leur cas. Il peut s'agir d'un apprentissage très précieux pour eux si le support et l'environnement sont adéquats, mais cette expérience peut aussi causer une grande surprise sinon un choc grave, étant donné le caractère non-exclusif de l'amour dans lequel ils se sont engagés par vœu. Pour ajouter à leur confusion, ils peuvent aussi découvrir que le sexe de leur bien-aimé ne semble pas tellement compter dans les sentiments qu'ils éprouvent. La souffrance et la culpabilité de cette expérience, surtout si elle s'exprime génitalement, peuvent devenir aussi aigus que la fascination est stimulante. Même si une personne plus avancée dans le processus d'intégration peut voir ici, comme le signale Moore, un attachement qui pointe ultimement au-delà de lui-même, il n'est en général pas très utile de signaler la chose tant que la personne impliquée n'est pas à même de l'entendre. Il se peut, comme le disent les experts, que «la pulsion sexuelle et la pulsion unitive (ou l'impulsion religieuse) soient identiques chez l'être humain[44]». Le découvrir dans sa propre chair, toutefois, est un long et difficile processus.

Néanmoins, les religieux et les religieuses qui tentent de trouver un sens au bouleversement des relations si fréquent aujourd'hui à l'intérieur comme à l'extérieur de la vie communautaire, pourront au moins se consoler à l'idée que le processus de maturation tout comme la force vitale qui se trouve en nous, en dépit du chaos émotif au travers duquel ils nous font passer, ont un momentum ontologique qui les portent vers le transcendant. À la façon de Moore et dans le contexte du paradigme holistique présenté dans le chapitre premier, Gerald G. May suggère que toute expérience émotive est fondée sur le même type d'énergie spirituelle de base, une énergie visant la totalité. Il

---

44. *Ibid.*, p. 127.

signale pourtant que l'expression et l'usage de cette énergie peuvent être détournés par *une attention insuffisante à ce fait*. Faisant allusion à la «transmutation de l'énergie», il dit:

> L'expérience des émotions comme manifestations d'énergie brute peut jeter une lumière considérable sur la relation existant entre la sexualité et la vie spirituelle. Si l'énergie qui enflamme les sentiments sexuels comme les sentiments spirituels est en fait une force de base commune, les distorsions dans la sexualité et la vie spirituelle [...] peuvent être vues comme le résultat non seulement de confusions sur la *nature du désir* mais aussi comme des *déviations* originaires dans le traitement de l'énergie émotive. Tout stimulus peut connaître des associations ou spirituelles ou sexuelles et porter ainsi une étiquette ou sexuelle ou spirituelle. [...]
>
> Au même titre, l'intention ou le choix fait par un individu peuvent affecter la transformation de la première poussée d'énergie émotive. L'étendue de cette influence est directement proportionnelle à la *qualité de l'attention* portée au processus de formation des émotions[45].

L'intuition de May peut nous aider à comprendre pourquoi, dans des moments de vulnérabilité et de perte plus aiguës (telle la crise du milieu de la vie), des religieux ou des religieuses jusque là maîtres d'eux-mêmes, semblent parfois perdre l'équilibre et peuvent avoir besoin d'une attention et d'une compréhension particulières. Ce qu'ils éprouvent avec acuité, c'est l'aspect sexuel ou érotique de cette même énergie vitale de base se trouvant en chacun de nous et plus ou moins susceptible d'être

---

45. Gerald G. MAY, m.d., *Will and Spirit* (La volonté et l'esprit), San Francisco, Harper & Row, 1982, p. 185-186 (italiques de B. Fiand).

recentrée, différenciée et canalisée ou, au contraire, d'être mal orientée et mal employée. Notre présence auprès de ces membres se doit d'être empreinte de sensibilité compatissante et d'amitié mature — à ne pas confondre avec la tolérance amusée sinon blasée de notre époque, qui considère le célibat comme une frustration déplacée ou imposée par l'institution et destinée tôt ou tard à mal tourner.

Dans un âge comme le nôtre où le sexe est idolâtré, il est évident que prévaudra un certain aveuglement face à l'usage approprié de cette énergie vitale. Le dualisme de notre culture ne favorise pas la prise de conscience du momentum holistique de notre énergie de base. Il en résulte des exagérations et des distorsions. Toutefois, si l'angélisme ou la pruderie en étaient les formes plus connues dans le passé, celles-ci se manifestent aujourd'hui dans l'érotisme ou la satisfaction immédiate de tous les besoins. «Ça doit être bien puisque c'est si bon», telle est la devise de notre culture qui cherche l'épanouissement par la satisfaction instantanée. C'est ici que la dimension contre-culturelle du célibat consacré s'avère extrêmement signifiante. En effet, celui-ci porte témoignage dans un monde où l'expression génitale de l'amour semble être la seule forme possible d'expression dans une relation et où la sexualité est dégradée par son absolutisation même. Notre célibat consacré affirme qu'il peut exister d'autres façons d'aimer, qu'il peut exister une intimité sans l'exploitation et la manipulation auxquelles l'«appétit» réduit si fréquemment une relation; il affirme que la sexualité appartient à une totalité incarnée où son expression est sainte, mais où une manifestation génitale n'est pas nécessairement requise en tout temps. Notre célibat parle d'une intériorité et d'un désir humain qui dépasse l'humain; il parle d'un vide creusé afin de faire une place au sacré.

Le fait que les religieux ou les religieuses n'ont jamais ou rarement fait face auparavant à leur sexualité avec un peu de sérieux et de profondeur peut représenter plutôt un handicap dans leur témoignage. Cette situation a nui à plusieurs d'entre nous dans notre recherche de différenciation et de canalisation de l'énergie primaire et nous empêche encore fréquemment de célébrer les potentialités de l'amour célibataire et d'en profiter effectivement. Nous vivons dans un temps de promiscuité et de confusion au plan sexuel. La «libération sexuelle» signifie pour plusieurs exactement le contraire, c'est-à-dire l'absence totale de frein devant toute pulsion génitale. L'idée de liberté célibataire semble souvent nous échapper alors que nous sommes hantés par des soupçons de répression neurotique ou de frustration sexuelle, ou même de déviation et de malformation, dans une culture qui a mécanisé la sexualité et dévalué l'intimité en l'affichant sur pratiquement tous les panneaux disponibles comme dans tant d'annonces télévisées. Lorsqu'on lui a demandé comment les membres de sa communauté s'accommodent avec le désir physique, Teresa Bielecki, professeur à l'Institut de vie spirituelle au Colorado, a offert quelques observations intéressantes au sujet du célibat consacré:

> D'abord, évidemment, on reconnaît ce qui se passe. On le situe dans la perspective d'un engagement définitif envers le célibat, et on ne s'en veut pas pour cela, puisque le désir sexuel est normal et humain. Il s'agit d'une force et d'un don. Puis, on a à l'intégrer de façon créatrice. *On doit reconnaître qu'on est libre de choisir. Voilà pourquoi le célibat a tant à offrir à notre culture. Nous sommes libres de choisir.* Les gens ont besoin de savoir cela, parce qu'un manque de véritable liberté est en train de tuer notre culture, de tuer la sexualité, de tuer le mariage, de tuer l'amour. Les gens croient qu'à chaque fois qu'ils ressentent un désir, ils

doivent passer aux actes. Mais il y a d'autres manières de réagir que génitalement[46].

Comme May, Bielecki pense que «l'énergie sexuelle est l'énergie vitale au cœur de toute personne humaine. Nous pouvons choisir d'employer ce potentiel humain de façon génitale ou pas[47].»

Il n'y a pas longtemps, un jeune homme dans sa quatrième année de théologie est venu me voir à mon bureau pour réfléchir quelque peu. Il m'a fait part de ses pensées et de ses préoccupations au sujet du célibat. Il ne fait pas de doute que le caractère obligatoire du célibat pour les prêtres diocésains est en général un véritable combat, aussi une conversation de ce genre n'est pas si rare. Voici pourtant ce que me dit mon jeune ami à cette occasion: «Au jour de mon ordination, je ne veux pas qu'on me demande de m'engager au célibat. Je veux en être au point où je puis me porter volontaire: "Oh! Monseigneur, en passant, je choisis le célibat comme ma façon de vivre le ministère ordonné".» D'une certaine façon, il voyait un manque d'intégrité dans le fait d'être forcé de choisir le célibat au nom d'un ministère. Pour qu'une vie soit signifiante, *nous devons la choisir librement*. Sans doute que ce jeune homme aura à refaire ce choix de vie plusieurs fois, comme il arrive à tous les religieux ou les religieuses qui prennent leur vœu au sérieux. Le célibat forcé est au mieux sans signification; au pire, il dégrade tant la personne que l'énergie créatrice qui jaillit au travers elle. Le célibat consacré choisi librement vise au-delà de lui-même et témoigne de l'intériorité humaine. Or ceci, de toute évidence, ne se fera jamais sans combat. Comme le remarque si bien Kavanaugh:

46. Propos rapportés par Rick FIELDS dans: «Celibacy and Religious Passion» (Célibat et passion religieuse), *The Sun* 157 (décembre 1989), p. 7. (Les premières italiques sont de B. Fiand).
47. *Ibid.*

Les souffrances du renoncement peuvent être nombreuses et intenses. L'incomplétude physique ressentie dans une intimité sans orientation ou expression génitale est remplie de difficultés, de purifications et d'un vide lancinant atteignant le tréfonds de la vie physique. La tendresse et l'attention sont difficiles à exprimer d'une manière intégrale et les combats qui en résultent dans une vie de célibat sont aussi éprouvants que les combats de l'amour conjugal[48].

Et il y a encore la tentation de remplir son vide par des substituts. Les «drogues» selon Moore peuvent être nombreuses. Nous pouvons avoir une vie de «célibataires exemplaires» dont l'abstinence sexuelle ne peut pas être prise en défaut mais dont l'énergie affective désorientée s'accroche à «des choses, des possessions, des jeux, la profession, le succès, la collection de bagatelles[49]», sans oublier l'inévitable «membre additionel» de toute communauté: la télévision et ses innombrables fuites dans l'irréalité. Une affection qui est déplacée plutôt que transformée nous fait vivre une vie superficielle et déshydratée, entourée de choses insignifiantes. Il nous manque la passion du réel.

Un rêve aussi fantasque que tragique m'assaille en des occasions comme celles-ci pour me rappeler ma propre pauvreté à cet égard. Je me vois sur mon lit de mort hantée par l'angoisse indescriptible d'un seul regret exprimé par cette simple phrase: «Trop tard je T'ai aimé». Notre liberté en tant que célibataire consacré est une sérieuse affaire. Nos vies sont destinées à orienter tout désir humain vers sa consommation finale dans le cœur de Dieu. Il s'agit de donner une visibilité spéciale à ce que Nouwen considère comme le «sanctuaire intérieur», «l'espace vide et saint dans la vie humaine[50]», là où l'intimité avec Dieu

---

48. KAVANAUGH, p. 134.
49. *Ibid.*
50. NOUWEN, *Clowning in Rome*, p. 38.

attend notre solitude et nos attentes. C'est lentement que nous en arrivons à une compréhension en profondeur de ceci, qui est notre vocation. Lentement, trop lentement en certaines occasions, et souvent très douloureusement, dans le dépouillement de notre être et la blessure du cœur à laquelle l'amour en communauté nous expose. Notre motivation initiale, alors, passe par de nombreux degrés d'ajustement minutieux, de purification angoissante, de trahison et de re-consécration.

Dans ces dernières pages, j'ai essayé de réfléchir sur la vulnérabilité particulière du religieux ou de la religieuse aujourd'hui. Je pense que précisément à cause d'elle, en tant que témoins blessés, nous sommes appelés à nous lever pour dire «la primauté de Dieu en toute relation[51]», à témoigner de l'absolu du Saint, de l'insuffisance de tout amour humain et de notre fondamentale nostalgie de Dieu. Notre prière doit en tout temps répéter que la force de Dieu se déploie dans notre faiblesse (*2 Co* 12,9). Ainsi faisons-nous l'expérience de notre radicale dépendance à l'endroit de Dieu et c'est là ultimement que nous trouvons notre liberté. Vivre cette destinée qui est nôtre, tout comme pour d'autres vivre dans le sacrement du mariage, est la tâche d'une vie, comme je l'ai souligné, non un fait accompli le jour de notre profession. Mais il s'agit de *notre* tâche. Notre appel consiste à l'accueillir dans le gratitude et la liberté. Nous sommes définis par elle[52].

---

51. *Ibid.*, p. 52.

52. Voir la note 1 de ce chapitre au sujet du célibat comme caractéristique déterminante de la vie religieuse.

Questions pour la mise au point, la réflexion et la discussion

1. Croyiez-vous que votre communauté connaît un manque d'équilibre dans la polarité entre la communauté et la mission? Qu'une trop grande insistance est mise sur la mission, et cela aux dépens de soucis légitimes au plan communautaire? *non*

2. Notre charisme va-t-il plus loin que les priorités apostoliques habituelles? S'il en est ainsi, en quoi? Quelles sont les priorités qui rassemblent votre communauté?

3. «La chasteté dans le célibat est ma façon de me plonger dans la souffrance et l'extase de la vie.» Qu'est-ce que cette affirmation signifie pour vous?

4. Votre expérience de la communauté en est elle une d'hommes ou de femmes *en vue* d'hommes ou de femmes *en tant qu'*hommes ou que femmes? Qu'est-ce que cela signifie pour vous?

5. Comment notre façon de créer des liens peut-elle être libérée de certains modèles, imposés ou prescrits, qui sont employés pour bâtir la communauté?

6. Votre expérience de la communauté en est-elle une de «portes battantes»? Vous servez vous de l'excuse du «peuple de pèlerins» pour éviter de supporter les souffrances de l'intimité et de la création de liens?

7. Êtes-vous à l'aise avec l'idée que vivre la chasteté est la tâche d'une vie et non un fait accompli le jour de la profession? (Ce qui, évidemment, s'applique aussi aux autres vœux.)

8. Quelle est votre première réaction quand vous vous disposez à vivre votre célibat de manière relationnelle — peur, colère, confiance, joie, espoir, anxiété, découragement, et ainsi de suite? Pourquoi en est-il ainsi?

9. «Notre aptitude à percevoir tant le vice que la vertu chez quelqu'un d'autre est directement proportionnelle à notre propre tendance en ce sens.» La vie en communauté vous a-t-elle permis d'approfondir l'expérience de votre ombre?

10. Quelle a été votre expérience de l'amitié en communauté? Vous êtes-vous sentie soutenue dans votre expérience de l'intimité, et avez-vous soutenu les autres? L'amitié apparaît-elle comme un élément positif dans les relations communautaires? Quelles formes d'inclusion vous semblent concrètement possibles en l'occurrence? Avez-vous pratiqué l'exclusion ou vous êtes-vous sentie exclue dans des situations d'amitié?

11. Votre appréciation du célibat consacré a-t-elle été renforcée par des discussions sérieuses et mûres sur la sexualité et la canalisation et l'orientation de l'énergie vitale? Sinon, pensez-vous que ce genre de discussion vous aiderait concrètement à profiter des forces de l'amour célibataire et à les célébrer?

5

Fidélité et créativité

Un ami très cher m'a dit il y a quelques années que, pour lui, le mot le plus créateur jamais prononcé dans l'histoire de l'humanité fut le *Fiat* de la Mère de Dieu. Voilà une intuition puissante. Et cependant, pour quelques-uns parmi nous, surtout pour les femmes aujourd'hui, il n'est peut-être pas possible d'en connaître toute la puissance et d'en apprécier la profondeur. Lorsque nous entendons de telles déclarations, nous ressentons tout d'abord un malaise et même de l'irritation plutôt qu'une crainte révérentielle. Bien que plusieurs parmi nous fassent partie de la génération des processions et des couronnes de mai, des mouvements de jeunes, du rosaire récité à l'école primaire, notre rapport à la «Jeune Fille en bleu», que nous vénérions alors, a été soumis à un sérieux questionnement. La Vierge Marie de ces années-là est devenue en quelque sorte une étrangère pour celles d'entre nous qui avons reconnu un aspect unilatéral et même malsain dans la douceur, la suavité, la faiblesse et la gentillesse féminines dont elle était l'idéal pendant notre jeunesse. Comme

Carolyn McDade, nous aimerions que ce mythe meure[1], pour que la plénitude de la Mère de Dieu, la force et l'intégralité de sa personne et, par extension, notre propre potentiel d'intégralité puissent apparaître, fleurir et être célébrés. Entendre parler du *Fiat* comme d'une parole créatrice peut donc, de prime abord, évoquer des souvenirs de fantasmes dualistes qui glorifient la soumission et la résignation passive que nous espérions avoir dépassé et dont nous nous passerions volontiers.

J'ai réfléchi ailleurs sur une remarque d'Ann Belford Ulanov à propos du silence complet des écrits théologiques et surtout de la liturgie lorsqu'il s'agit de célébrer «Marie comme une personne ardemment combative qui, de façon remarquable, s'est présentée comme disponible à la présence de Dieu, sans l'appui de la raison ou des usages culturels de son temps[2]»: une personne qui a dit son *Fiat* seulement après avoir osé demander à l'ange une explication (ce qui, pour Zacharie, entraîna le mutisme). Ces dernières années, j'ai découvert que ce même silence ecclésial s'applique aussi à une grande partie de l'interprétation de notre tradition concernant l'obéissance. À beaucoup d'égards, notre désaffection à l'endroit de Marie comme «femme sur un piédestal» va de pair avec un certain questionnement et une réévaluation expérimentale de l'interprétation traditionnelle de cette vertu d'obéissance et du vœu que nous avons prononcé il y a plusieurs années. Dans une Église où l'on exige un serment de fidélité des pasteurs et des théologiens, où l'obéissance au Pontife suprême doit être promise dans les constitutions des congrégations religieuses, et où les penseurs qui osent exprimer

---

1. Carolyn McDADE, «Song to Mary» («Chant à Marie»), dans *Rain Upon Dry Land* (Une pluie sur la terre aride), Plainville, Mass., Surtsey Publishing, 1984, stanza 6.
2. Ann Belford ULANOV, *Receiving Women*, Philadelphia, Westminster Press, 1981, p. 35-36; cité dans Barbara Fiand, *Releasement*, p. 68.

des vues différentes de celles du magistère sont souvent réduits au silence, sans aucune forme de procès, «une combativité ardente» et une attitude de questionnement sont les dernières qualités qu'on voudrait attribuer à l'obéissance. Le point de vue officiel sur cette vertu aujourd'hui se rapproche beaucoup plus de l'interprétation donnée dans un dictionnaire théologique réputé paru en 1927: «Très peu de gens sont capables de parvenir à une intégralité dans la vie; de sorte qu'on ne peut imaginer meilleur usage de leur liberté que de se rattacher à un ensemble existant et de s'associer à des supérieurs qui ont atteint cette intégralité[3].» La plupart d'entre nous se sentent aliénés, choqués par une attitude de ce genre. Ce dictionnaire voit dans l'obéissance «la soumission à l'autorité, l'acceptation sans s'interroger sur les motifs et, partant, la simple exposition et présentation de choses saintes, au lieu de l'inlassable besoin de questionner et de répondre aux questions[4]». Mais nous qui vivons aujourd'hui, nous nous demandons sérieusement ce qu'une telle interprétation peut apporter à des adultes cultivés qui considèrent que penser et questionner sont nécessaires pour faire face à tous les aspects de leur vie et verraient, en fait, une négligence dans ce domaine comme irresponsable et irrespectueuse.

Aucun autre vœu peut-être ne subit autant de pression, au carrefour de ce «point tournant» dans la compréhension que notre culture a d'elle-même que le vœu d'obéissance. Peut-être aussi qu'aucun autre conseil évangélique n'est encore interprété avec autant de rigueur dualiste (surtout dans la situation actuelle du magistère), en continuant à résister au défi, et à la chance, d'être repensé à neuf[5]. Peut-être enfin qu'aucune autre vertu

---

3. Cité par Dorothee SOELLE, *Imagination et obéissance*, traduction de Gwendoline Jarzyk, Casterman, 1970, p. 16.

4. *Ibid.*

5. Voir chapitre 1, «Une culture en crise».

n'est exaltée avec tant d'absolutisme, suscitant, en retour, une réaction individualiste et fermant ainsi toutes les avenues au dialogue et à la transformation. Il semble n'y avoir aucun doute que l'obéissance dans notre Église est crucifiée entre les anciens modes verticaux de rapports et les manières plus horizontales de fonctionner aujourd'hui. C'est la victime par excellence d'une institution hiérarchique qui ne peut pas encore céder à la sagesse et au caractère sacré de la communauté; la victime d'une «tête» qui ne peut pas se fier à son «corps» et qui court alors le risque de se perdre dans de célestes fantaisies de grandeur plutôt que de s'enraciner dans la réalité concrète, les pieds bien posés sur le sol.

Face à la crise

Afin de nous situer spécifiquement et directement au cœur de cette crise de l'obéissance aujourd'hui, il est bon de rappeler brièvement les deux grands paradigmes de spiritualité reconnus au chapitre 1 comme présents dans notre tradition depuis ses débuts. Le paradigme le plus répandu a pris naissance à partir du dualisme métaphysique que nous avons hérité, comme Église, de la culture gréco-romaine dominante, celle que les premiers missionnaires ont rencontrée. Sa structure, même jusqu'à ce jour, est hiérarchique, mettant, dans sa vision du monde, l'accent sur les comparatifs. Les perspectives du «meilleur que», «plus haut que», «plus saint que» et «plus réel que» dominent sur les aspects «inférieurs» et plus matériels de la réalité. Ce qui se rapproche davantage de l'esprit, qui est donc plus proche de la perfection et en conséquence plus divin, doit être recherché et honoré. Ce dualisme se porte bien quand la priorité est donnée à la perfection. Dans cette spiritualité, il y a un abîme entre Dieu et la création, entre Dieu et l'homme, et plus sûrement encore, entre Dieu et la femme.

Même si la métaphysique grecque qui avait pénétré l'empire

168

romain au temps de l'expansion de l'Église primitive fut largement responsable de l'influence persistante du dualisme dans notre tradition, Sandra Schneiders nous assure que:

> Même chez les Juifs, dont le Dieu était proche grâce à une alliance d'amour, un abîme existait, avant l'Incarnation, entre le monde humain et le monde divin, entre le profane et le sacré. Les humains lançaient un pont sur cet abîme par différentes formes de consécration. Ils prenaient des réalités profanes comme l'espace, le temps, des objets et des personnes, et les séparaient de l'usage profane pour en faire des intermédiaires ou des médiateurs entre un Dieu inaccessible et l'humanité ordinaire. Cette séparation rendait ces réalités humaines supérieures à leur correspondant profane. Le Sabbat, le Temple, les vases sacrés, les prêtres, les animaux pour le sacrifice et la Loi devenaient — grâce à la consécration — sacrés plutôt que profanes, et supérieurs aux lieux, aux temps, aux choses, aux comportements et aux personnes ordinaires[6].

Comment s'étonner alors que la vision de Jésus fut jugée révolutionnaire! Nous avons étudié aux chapitres 1 et 2 son insistance sur l'égalité plutôt que la hiérarchie. C'est là que résidait le charisme du mouvement de Jésus originel, «des disciples égaux» dans une alliance d'amour les uns avec les autres et qui se soutenaient mutuellement: «Je ne vous appelle plus serviteurs... mais je vous appelle amis... Ce que je vous commande, c'est de vous aimer les uns les autres» (*Jn* 15,15.17). Même si la spiritualité de ce second paradigme ne fut jamais prépondérante

---

6. Sandra SCHNEIDERS, «Evangelical Equality: Religious Consecration, Mission, and Witness («L'égalité évangélique: consécration religieuse, mission et témoignage»), *Spirituality Today*, 39:1, printemps 1987, p. 60.

dans l'Église, sauf aux tout débuts, elle ne disparut jamais totalement de notre tradition. Au chapitre 1, nous avons réfléchi sur la pensée mystique qui, même intermittente et souvent mal comprise et battue en brèche par le système hiérarchique, conserva l'intuition d'un Dieu amant, d'une sainteté et d'une intégrité universelles, de l'égalité entre les humains et de la célébration cosmique. Aujourd'hui encore, les personnes intéressées à l'intégralité et à la justice — ceux et celles qui ont souci de la libération des opprimés, de l'émancipation de la femme, de l'écologie — s'orientent vers cette vision et invitent notre culture à se transformer.

Lorsque nous situons l'obéissance à l'intersection de ces deux paradigmes, il devient évident qu'une réflexion critique peut être profondément troublante. Au chapitre 1, nous avons étudié le traumatisme généré par les crises et le refus des civilisations d'abandonner les perspectives qui leur avaient permis d'atteindre la gloire[7]. La rigidité, la méfiance et la persécution précèdent habituellement tout changement de paradigme. L'obsession de la «fidélité» et le rejet par le magistère de toute invitation au dialogue apparaissent facilement comme un cas typique. Mais, comme dans toutes les autres situations de crise au cours de la maturation humaine et culturelle, la stagnation, le refus de progresser et la conservation intransigeante du passé au nom de la «tradition» ne mèneront qu'à la régression et au déclin. Il est temps de faire face à la «sécheresse» de l'obéissance dans notre Église, d'entrer dans «notre petite maison paisible» et de prier pour une pluie de créativité et de nouvelles intuitions, de peur de nous dessécher dans cette période sans eau et de mourir de déshydratation.

---

7. Voir la section «Une culture en crise» au chapitre 1.

L'obéissance autoritaire

Dans son ouvrage classique, *Imagination et obéissance*, la théologienne allemande bien connue, Dorothee Soelle, décrit l'obéissance dans une société dualiste et hiérarchique comme étant généralement autoritaire[8]. La voie hiérarchique y est linéaire et à sens unique, allant de celui qui parle, qui donne l'ordre et est censé avoir la vision, à celui qui écoute, qui obéit et n'est pas seulement présumé mais encouragé à être, sinon ignorant, du moins aveugle concernant le sens de l'action commandée. Ce dernier est donc, à toutes fins pratiques, irresponsable vis-à-vis des conséquences. Celui qui donne l'ordre est le supérieur; celui qui obéit est son subordonné. La diligence, la rapidité et la précision dans l'exécution de l'ordre sont hautement estimées chez le subordonné, alors que le contenu, les circonstances et les conséquences de l'action sont laissés à la considération et à la sagesse du supérieur, lequel a la grâce d'état.

Soelle introduit ce modèle d'obéissance en citant un récit autobiographique d'un catholique allemand né en 1900 et élevé dans une tradition chrétienne stricte:

> L'éducation que j'avais reçue de mes parents m'imposait une attitude respectueuse à l'égard de tous les adultes et surtout des personnes âgées, indépendamment du milieu dont ils venaient. Je considérais comme mon premier devoir de porter secours en cas de besoin. On m'avait appris à me soumettre à tous les ordres ou directives de mes parents, des instituteurs, du curé, au fait, de tous les adultes, y compris des domestiques, sans hésiter et sans me laisser arrêter par quoi que ce soit. À mes yeux, ils avaient toujours

---

8. SOELLE, chap. 2, 3, 4.

raison. *Ces principes d'éducation en étaient venus à faire partie de ma chair et de mon sang*[9].

Dans sa jeunesse, nous dit cet écrivain, il «fut habitué à l'obéissance absolue, à la propreté et à l'ordre méticuculeux[10]». Selon Soelle,

«L'obéissance à la voix qui commande», dès le plus jeune âge, «la soumission à l'autorité» pratiquée jusqu'à devenir habituelle, «la soumission totale de son vouloir propre au vouloir d'un autre, manifestée par l'action», en un mot, l'obéissance comme fondement de l'éducation religieuse et comme concept clé de tout le message chrétien constitue un principe communément accepté en christianisme[11].

Même si cet exemple biographique provient du catholicisme allemand, Soelle laisse entendre que protestants et catholiques favorisaient le même modèle d'obéissance. L'auteur de ce récit est Rudolf Höss, directeur d'Auschwitz de 1940 à 1943[12].

Sans tomber dans une théorie simpliste de cause et d'effet en reliant le catholicisme allemand aux atrocités nazies, nous devons admettre que Soelle présente ici une sérieuse mise en accusation d'un genre d'obéissance qu'on ne peut plus tolérer impunément. L'étude behavioriste de l'obéissance menée par Stanley Milgram à l'Université Yale dans les années 1960[13], de

---

9. *Ibid.*, p. 15 (italiques de B. Fiand).
10. *Ibid.* (italiques de B. Fiand).
11. *Ibid.*, p. 16.
12. *Ibid.*, p. 17.
13. Stanley MILGRAM, «A Behavioral Study of Obedience («Une étude behavioriste de l'obéissance»), dans *The Norton Reader*, sous la direction d'Arthur M. Eastman, 3e éd., New York, W.W. Norton & Co., 1973, p. 293-307. Cette étude établit «une procédure pour étudier en laboratoire l'obéissance destructive». Elle consiste à ordonner à un sujet naïf (S) d'administrer des punitions de plus en plus sévères à une victime dans le contexte d'un apprentissage. La punition est administrée par le moyen

même que les actes de brutalité exécutés sur ordre contre des citoyens innocents dans des pays dits civilisés déchirés par la guerre témoignent du fait que la violence des camps de concentration, conforme aux ordres reçus, n'est pas le fait exclusif de la psyché allemande. Ni la nationalité, ni le caractère ethnique ne créent l'obéissance aveugle, mais seulement un certain renoncement à sa responsabilité propre et le refus ou l'incapacité d'assumer son autonomie personnelle et de juger les ordres venant de l'extérieur à la lumière de sa propre conscience. Soelle a raison de dire qu'il appartient aux historiens, et j'ajouterais aux experts en sciences sociales, de déterminer le degré d'influence que l'apprentissage chrétien a eu dans la création de ces monstres, par le genre d'obéissance qu'elle a préconisée[14]. Quoiqu'il en soit, un théologien de nos jours ne peut plus jeter un regard innocent sur l'obéissance inconditionnelle, et encore moins la présenter comme une vertu, s'il cherche à vivre de façon authentique dans l'histoire.

Il me semble que, comme chrétiens, nous avons aujourd'hui le devoir de faire la critique de toute la conception de l'obéissance, et que cette critique doit être radicale, ne serait-ce que parce que nous ne savons pas de façon si précise qui est

---

d'un générateur d'électrochocs sur une échelle de 30, allant de léger à dangereux. La victime est un allié de l'expérimentateur (E). La variable primaire de dépendance est le choc maximum que S est prêt à administrer avant de refuser d'aller plus loin. 26 S ont obéi totalement aux commandes de l'expérimentateur et ont administré le plus haut choc. 14 S ont arrêté l'expérience à un moment ou l'autre après que la victime ait protesté et refusé de fournir d'autres réponses. La procédure a créé de hauts niveaux de tension nerveuse en certains S. De grosses sueurs, des tremblements et le bégaiement furent des expressions typiques de ces troubles émotifs. Un signe inattendu de tension — qui reste à expliquer — fut chez certains S un fou rire récurrent qui, dans certains cas, dégénérait en crises incontrôlables. La vivacité des comportements observés, au cours de l'expérience, la réalité de la situation pour les S (...) laissent voir qu'il y aurait profit à poursuivre l'étude.»

14. SOELLE, p. 18.

Dieu, et ce qu'il veut dans chaque occasion. Il n'est plus possible de décrire notre relation à Dieu par une conception qui la limite à l'exécution de son devoir. Si nous voulons parler de Dieu avec sérieux, nous ne pouvons pas nous arracher à l'histoire. Or, dans l'histoire du christianisme, dans l'histoire de notre siècle, le rôle joué par l'obéissance a été catastrophique. Celui qui oublie cet arrière-plan, ou qui le repousse, pour commencer naïvement à parler de l'obéissance, comme s'il ne s'agissait en fait que d'obéir au maître véritable, celui-là n'a rien compris à cet enseignement de Dieu appelé l'histoire[15].

Toute interprétation de l'obéissance qui refuse de prendre en compte la culture, l'histoire, les données sociologiques et la responsabilité sociale est aujourd'hui simplement déraisonnable. On ne peut pas se laisser guider par ce qui conduit clairement au dysfonctionnement et à l'irresponsabilité, et encore moins le recommander. Pas plus que choisir librement l'obéissance aveugle au nom de l'humilité ou pour l'amour de «la gloire de Dieu» ne compense le grave manquement au devoir de se conduire avec maturité.

C'est un fait reconnu que l'aveuglement à l'ensemble d'une situation — aux implications et aux ramifications de l'acte à poser — aboutit finalement aussi à l'aveuglement par rapport à l'autorité qui commande l'action. Si l'on ne tient pas compte du contenu, n'importe qui peut commander, et alors que jadis cela a pu être souhaité (dans les communautés religieuses, les paroisses et les diocèses où l'humble acceptation de tout supérieur que «Dieu m'avait choisi» était louée comme une vertu et était en fait très utile au système), dans la sphère plus large du comportement humain et du développement des attitudes, cet aveuglement par

---

15. *Ibid.*, p. 18-19.

rapport aux supérieurs chrétiens conduit facilement au même aveuglement face aux supérieurs militaires, politiques ou économiques. Ce que je veux dire, c'est que comme on insiste sur la structure de l'acte plutôt que sur son contenu, l'autorité religieuse est facilement remplacée par l'État, le parti, la loi du marché, ou par tout autre système qui s'appuie sur le même principe[16]. L'acceptation facile d'un régime totalitaire par certains des pays les plus catholiques de notre temps en dit long. Et, aux États-Unis, l'identification simpliste, même inconsciente, de la culture avec Dieu et avec tout ce qui est sacré, identification qui fait qu'on rejette, les yeux fermés, toute critique des valeurs américaines comme antipatriotique, montre à l'évidence la déformation de la conscience que suscite l'acceptation aveugle et non réfléchie de notre «héritage» et de ses règles de conduite. Je crains bien que des gens comme Oliver North ne soient pas une exception, mais plutôt le symptôme de quelque chose de répandu. La popularité de North dans le peuple américain semblerait confirmer qu'il n'est pas seul à tenir les positions qu'il a prises. Jim Wallace l'exprime à merveille quand il signale que:

> Dans les Églises américaines, ce n'est pas le règne de Dieu qui s'est fait proche, c'est la culture américaine, le système social, économique et militaire des États-Unis. [...] Notre conformité à la culture rend la plénitude des enseignements de Jésus incompréhensibles pour beaucoup de gens[17].

---

16. *Ibid.*, p. xiii-xvii
17. Jim WALLIS, *The Call to Conversion*, (L'appel à la conversion), San Francisco, Harper & Row, 1981, p. 31-32.

Les conséquences de l'obéissance autoritaire

L'aveuglement conditionné, pour l'amour de Dieu ou par pure peur du châtiment ou désir de récompense, mène inévitablement aussi au manque d'estime de soi et au désaveu de soi. Rechercher toujours son centre en dehors de soi inculque un sens fondamental d'indignité, de méfiance de soi et de servilité à l'égard de ceux qui sont «meilleurs», «plus qualifiés», «plus âgés», «mâles», ou tout simplement «appelés» à être au-dessus, à être supérieurs, donc à conseiller et à guider. Dans certains cas, après avoir été longuement exposé aux effets néfastes de l'asservissement aveugle, on peut se demander s'il reste un moi dont il faut se méfier. La croissance authentique exige «un mouvement allant d'une orientation vers l'hétéronomie (trouvant sa loi dans un autre), *en passant par l'autonomie* (ayant sa loi en soi) afin d'atteindre un rapport mature et libre avec Dieu[18]» et avec la communauté humaine en général.

La communauté d'amis adultes, analysée au chapitre précédent, est difficile à réaliser dans la vie religieuse aujourd'hui, probablement à cause du manque d'autonomie authentique dont plusieurs d'entre nous souffrent encore. Trouver véritablement notre loi intérieure signifie plus que d'avoir atteint une certaine indépendance à l'égard des exigences des supérieurs ou même les uns par rapport aux autres. L'autonomie veut dire que nous avons rencontré notre passé et fait face aux besoins qui n'ont pas été comblés ainsi qu'aux voix de notre enfance: ces figures d'autorité intériorisées qui nous poursuivent encore dans notre âge adulte et qui, pendant des années, continuent de nous parler à travers nos supérieurs ou des personnes de notre entourage. La

---

18. Joann WOLSKI CONN (dir.), *Women's Spirituality Resources for Christian Development*, (Les ressources spirituelles des femmes dans un développement chrétien), New York, Paulist Press, 1986, p. 11 (italiques de B. Fiand).

vraie autonomie se réalise lorsque nous pouvons reconnaître l'étendue de nos capacités et accepter d'être essentiellement des êtres-avec, tout en nous sachant uniques; en un mot, lorsque nous avons fait l'expérience de l'interdépendance.

Personne ne niera que cet aveuglement conditionné faisait partie intégrante de notre «formation» religieuse avant Vatican II. Bien sûr, il affectait certains plus que d'autres, en particulier les personnalités sensibles qui y ont baigné pendant des années et qui sont, même aujourd'hui, incapables de retrouver leur centre personnel et l'autonomie si nécessaire pour une interaction saine entre adultes. Ces personnes sont des «victimes» du système de coercition qui, même librement choisi, s'opposait au sens fondamental de la liberté. Aujourd'hui, elles arpentent les corridors de nos maisons à la recherche de quelqu'un pour leur accorder une permission. Une opinion exprimée par le premier venu risque de devenir pour elles une maxime, voire un ordre, leur «obédience». Elles sont d'accord avec tout le monde, c'est pourquoi dialoguer ou discuter les plonge dans la confusion. Un «bon religieux» ne peut pas être en désaccord. Les personnalités fortes les dominent facilement. Elles souffrent beaucoup.

Mais il n'est pas nécessaire de rechercher ces cas extrêmes pour découvrir les conséquences de l'obéissance autoritaire dans nos vies. Elles peuvent bien être plus subtiles et s'infiltrer dans nos modes de penser et d'agir lorsque nous nous y attendons le moins. Par exemple, nous pourrions bien honnêtement nous trouver parmi ceux qui sont fortement attirés vers des paradigmes holistiques d'obéissance pour aujourd'hui; nous pourrions même tâcher de vivre selon ce modèle et former communauté d'après ces principes. Mais que nous arrive-t-il dans les situations cruciales où il faut prendre des décisions difficiles? On pourrait alors vérifier jusqu'à quel point nous revenons aux vieux clichés: «Si j'étais vraiment obéissante, je ferais ce que l'on me demande. Si j'étais vraiment obéissante, je ferais ce qui est plus difficile ou bien ce que je ne veux pas faire, parce que les autres, l'autorité, ma communauté, me demandent de le faire». Donner son assentiment intellectuel à des modèles holistiques d'obéissance est une chose; mais c'en est une autre de connaître une «conversion de la conscience» et de vivre activement, de cette façon, à la recherche d'une autorité qui nous donnera la force de quitter le modèle de la famille primaire pour atteindre dans tout notre être une relation de maturité; de pouvoir dire à un supérieur: «Nous voulons que tu nous rendes capables d'aller au plus profond de nos responsabilités» plutôt que: «Nous voulons que tu nous dises ce qu'il faut faire, que tu décides si nous avons la vocation, ou quels ministères nous devrions exercer, ou même comment il faut interpréter les constitutions.»

La réaction opposée est peut-être le résultat le plus subtil de l'oppression et un indice que les problèmes de relations avec l'autorité n'ont pas été résolus. Lorsque des personnes ont été confinées à des niveaux de responsabilité propres à l'enfance bien au-delà de cet âge, un torrent d'énergies puissantes mais non canalisées s'élance une fois que l'oppression disparaît. L'aveuglement à toute autorité légitime peut facilement s'ensuivre et on se trouve en face d'une communauté chaotique. La période d'expérimentation après Vatican II ayant duré assez longtemps pour qu'on puisse reconnaître des résultats valides, la plupart d'entre nous se sont rendu compte, au cours des dernières années, que le gouvernement dans beaucoup de communautés locales est en crise sérieuse. Quand tout le monde décide de tout, rien n'est réglé. Il semble assez évident qu'on n'a pas besoin d'un consensus pour tous les détails de la vie ordinaire. Et cependant, comme certains sont troublés quand des décisions mineures se prennent en leur absence! Nous perdons beaucoup de temps et d'énergie en refusant ou en craignant de donner à nos frères ou sœurs le leadership qui correspond à leurs dons. La quasi-paranoïa face au processus de prise de décision incite à croire que nos idées et nos attentes par rapport au leadership sont encore de style autoritaire ou hétéronome, malgré une indépendance et une maturité apparentes, et que nous n'avons pas encore fait l'expérience de la véritable interdépendance. On pourra se rapporter à notre discussion sur l'approche holistique du leadership au chapitre 2, où il est considéré comme un don nécessaire lorsque des gens se regroupent en vue d'un but commun[19].

Co-autorité et co-responsabilité

Après cette réflexion un peu douloureuse sur l'obéissance autoritaire et ses conséquences, il fera bon de rappeler une observation de Sandra Schneiders qui arrive à point:

> En vouant l'obéissance, le religieux s'engage sans réserve à rechercher *la volonté de Dieu* en toute circonstance et à l'accomplir de tout cœur, non seulement parce que sa propre sainteté se trouve dans l'obéissance totale à Dieu, mais aussi afin d'étendre le règne de Dieu dans ce monde[20].

Il est évident que l'appel universel à l'intégralité vécue dans une «communauté d'amis qui sont des co-disciples dans l'apostolat» ne peut pas être linéaire et uni-directionnel. En tant que «disciples égaux», nous sommes tous responsables de la recherche active de la volonté de Dieu et de son accomplissement de tout notre cœur. La rapidité et l'aveuglement dans l'exécution des ordres doivent être remplacés par les vertus d'écoute et

---

19. Voir la section «Nous ne sommes plus mis à part» au chapitre 2.

20. Sandra SCHNEIDERS, *New Wineskins* (Des outres neuves), New York, Paulist Press, 1986, p. 140 (italiques de B. Fiand).

d'entraide, à mesure que nous prenons conscience que Dieu se révèle sans condition au cœur attentif et que nous sommes tous appelés à écouter ce message et à y répondre. L'autorité, qu'on voyait auparavant comme la gardienne de la responsabilité, devient co-autorité et la responsabilité des choix et des décisions est partagée.

Soelle voit le modèle holistique de l'obéissance comme trinitaire par nature, à l'œuvre dans le réseau de relations établi entre d'abord celui qui exige l'obéissance (Dieu), puis celui qui obéit (l'individu, la communauté et l'autorité), enfin le contenu de l'obéissance elle-même. Vivre de façon responsable dans le monde veut dire être sensible aux situations qui nous demandent d'agir pour le règne de Dieu. Cette sensibilité se situe toujours dans une position de discernement quant au contenu. Il est important, pour une appropriation sérieuse du paradigme holistique, de reconnaître que l'obéissance authentique de la part des gens impliqués comprend une double responsabilité: répondre à celui qui demande d'agir et s'approprier ce qu'on doit faire. Négliger ces deux aspects et considérer l'obéissance simplement comme uni-linéaire — c'est-à-dire dirigée uniquement vers la personne qui représente Dieu — c'est tomber à nouveau dans le dualisme et l'irresponsabilité conséquente. On découvre la volonté de Dieu dans une situation donnée, et nulle part ailleurs.

L'obéissance holistique démontre une implication concrète dans la réalité vécue du moment. C'est l'ensemble des circonstances qui est impliqué et l'action elle-même, même urgente, ne peut être isolée de ceux qui l'accomplissent, comme si la santé, les dispositions, les dons et les talents, tout comme la situation générale de ces individus, ne comptaient pour rien. Quand la co-autorité devient co-responsabilité, les hésitations qui, dans le passé, étaient si souvent écartées comme des signes d'une foi faible qu'on devait soumettre au remède instantané de la «grâce d'état», sont prises au sérieux et examinées ensemble. Dieu ne demande ni le ridicule ni l'impossible. Arroser des bâtons en croyant aveuglément que des feuilles vont pousser, laver les planchers avec une brosse à dents, peuvent sembler acceptables dans un système qui valorise la soumission aveugle (que ce soit la formation religieuse du passé ou l'entraînement militaire d'aujourd'hui), mais aucune de ces pratiques ne développe l'obéissance responsable en vue de la justice et de l'intégralité. Et il n'y a aucun bienfait à les donner en modèles d'obéissance au temps de la fondation de la communauté. Si la spiritualité de cette époque rendait possibles de telles actions, on devrait réfléchir davantage sur la vertu d'endurance patiente en face de l'oppression injuste, plutôt que sur la véritable obéissance.

De nos jours, des restes de cette sorte d'oppression se glissent dans nos discernements, que nous le sachions ou non, chaque fois que nous décidons de surcharger quelqu'un pour répondre à un besoin de plus, ou lorsque nous demandons à des personnes de vivre des tensions excessives dans le seul but de «remplir» une résidence ou d'épargner sur le transport. C'est une perversion criante de la théologie de prétendre que ce qui est douloureux ou désagréable ou redouté est nécessairement sacré ou mène à la sainteté, surtout quand ce sont nos supérieurs qui nous le demandent; et qu'on devrait alors le rechercher et l'endurer avec joie. Même si le travail en vue du règne de Dieu peut exiger des sacrifices, le sacré n'est pas obligatoirement pénible. De plus, comme le dit si bien Brennan Manning: «La grâce de Dieu précède toujours son appel[21].» L'obéissance chrétienne authentique repose dans cette confiance et célèbre la bonté d'un Dieu Amant qui veut notre bonheur et celui de toute l'humanité. Dans la disposition qui accompagne la spiritualité holistique, on

---

21. Brennan MANNING, *The Wisdom of Accepted Tenderness*, p. 19.

trouve l'assurance calme et secrète que la grâce pour le pas suivant dans l'Esprit est déjà là, donnée[22].» Ainsi, nous nous rassemblons pour explorer ensemble la situation réelle et découvrir comment, aussi bien que par qui, le règne de Dieu peut le mieux progresser dans la joie et dans la paix.

L'obéissance autonome

Nous voyons déjà dans l'Ancien Testament que le contenu de l'acte, et la situation qui le provoque, ses circonstances et ses conséquences, sont très importants. En Michée 6,8, nous lisons:

> On t'a fait savoir ce qui est bien, ce que Yahvé réclame de toi: rien d'autre que d'accomplir la justice, d'aimer la bonté et de marcher humblement avec ton Dieu.

La première obligation découlant de notre obéissance est donc d'accomplir la justice et d'aimer le bien. Soelle nous dit que «l'obéissance, dans l'Ancien Testament, va de pair avec la justice et qu'elle ne se rapporte jamais au souverain d'une façon purement autoritaire[23].» Le devoir du chef, c'était de faire la justice et de rendre les autres capables d'en faire autant. Les prophètes l'avertissaient s'il manquait à sa vocation. Ils avaient la tâche de le rappeler à sa propre intégrité, à l'obéissance qu'il devait à la voix de sa conscience, à l'obéissance autonome. Nous avons affaire ici à quelque chose de profondément créateur qui n'a rien à voir avec la soumission aveugle à des ordres mais tout à voir avec la responsabilité personnelle. «L'obéissance requise des humains concerne directement l'édification du monde qui leur est confiée» de façon à modeler «une société où la justice se réalise[24]».

---

22. *Ibid.*
23. SOELLE, p. 36.
24. *Ibid.*

L'obéissance selon la Bible est transformatrice et non préservatrice. Son énergie se trouve dans le processus en marche. Elle est dirigée vers l'avenir. «Si le monde... est compris, selon l'esprit de la Bible, comme en mouvement vers un but, une fin, alors l'obéissance autoritaire ne peut pas répondre au dessein de Dieu sur le monde, puisqu'elle ne vise qu'à conserver l'ordre existant, et se montre ainsi hostile à l'avenir[25].» Elle menace et détruit tout ce qui vient du centre créateur de la véritable autonomie humaine.

L'autoritarisme (et l'obéissance qu'il exige) vient de ce que j'appellerais la «conscience du serpent»: une séquelle directe («une punition») du péché originel[26]. Il se nourrit d'assujettissement et de contrôle uniquement pour l'amour du statu quo et de la stagnation, souvent présentés frauduleusement comme «la loi et l'ordre public». À l'origine, il est la conséquence d'une «décentration», d'un état de dispersion, de désobéissance, nous rendant incapables ou mal disposés pour écouter la loi intérieure et la suivre en acte; n'étant pas centrée, donc nuisant à soi et aux autres, cette «conscience du serpent» est obsédée par l'imposition de règles requérant une obéissance hétéronome. La malédiction du serpent fut d'être écrasé; une dispersion sans rédemption, qui ne connaît pas d'autre loi qu'un contrôle extérieur, fait l'expérience de cet écrasement. Cette conscience peut même prétendre que l'écrasement est nécessaire, comme elle n'a jamais rencontré son vrai moi profond, la conduite de soi de l'intérieur, la force, en un mot, la liberté des enfants de Dieu. Tant la mise en valeur du moi (la volonté de puissance) que sa dépréciation

---

25. *Ibid.*, p. 37.

26. WOLSKI CONN, p. 26. En se référant aux idées de Phyllis Tribble, Conn suggère que «la subordination est la conséquence du péché; en Genèse 3, la malédiction est sur le serpent, non sur la femme». Le serpent peut se retrouver en chacun de nous lorsque nous sommes dispersés loin de notre centre intérieur.

découlant de cette dispersion augmentent l'effet d'écrasement de la malédiction originelle. La dépréciation de soi en a besoin pour être dirigée; la mise en valeur, pour s'établir en gouvernant, en chef, en supérieur. D'autre part, la liberté de la rédemption nous appelle à rentrer chez nous pour nous ouvrir à la loi écrite en nos cœurs et pour la découvrir par une écoute bien centrée — dans l'obéissance autonome qui a Jésus pour modèle et qui a été prêchée, déjà avant sa venue, par les prophètes de l'Ancien Testament.

Dans les temps modernes, on ne pourrait pas trouver un témoignage plus éloquent de la gloire et du paradoxe de la liberté chrétienne, de l'autonomie intérieure à laquelle nous sommes tous convoqués, que la parabole du *Grand Inquisiteur* de Dostoïevski[27]. Cet homme aurait réduit tout le monde en esclavage pour donner à tous le bienfait de la sécurité d'une prison. Quand il rencontre Jésus visitant son Église plusieurs siècles après sa fondation, lors des excès de l'Inquisition, il le stigmatise comme un hérétique décidé à ébranler le statu quo pour lequel l'Église a travaillé d'arrache-pied pendant des siècles. Le crime pour lequel l'Inquisiteur condamne le fondateur du christianisme consiste à réintroduire la liberté, à oublier que les humains préfèrent la «paix, et même la mort, à la liberté de discerner le bien et le mal. L'Inquisiteur reconnaît qu'il n'y a rien de plus séduisant pour l'être humain que le libre arbitre, mais aussi rien de plus douloureux[28].» Dans ses accusations contre Jésus, il continue à divaguer:

Et, au lieu de principes solides qui eussent tranquillisé pour toujours la conscience humaine, tu as choisi des notions vagues, étranges, énigmatiques [...] Tu as accru la liberté

---

27. F. M. DOSTOÏEVSKI, *Les Frères Karamazov*, trad. de H. Mongault *et al.*, Paris, Gallimard, 1952, liv. 5, ch. 5, p. 267-286.
28. *Ibid.*, p. 276.

humaine au lieu de t'en emparer et tu as ainsi imposé pour toujours au monde spirituel de l'humanité les affres de cette liberté. Tu voulais être librement aimé, volontairement suivi par les êtres humains charnels. Au lieu de la dure loi ancienne, les humains doivent désormais, d'un cœur libre, discerner par eux-mêmes le bien et le mal, n'ayant pour se guider que ton image[29].

Le «crime» rédempteur du Christ, selon le Grand Inquisiteur, était de nous offrir le modèle de la liberté d'une obéissance autonome, de nous demander de prêter attention à la loi du cœur et ainsi de nous ouvrir au tumulte de notre propre conscience. À cause de cela, Jésus fut lié et emprisonné; à cause de cela, son bourreau voulut le faire mourir sur le bûcher le jour suivant. Mais, parce qu'il nous commandait à tous d'embrasser notre liberté, même si nous devions par elle le trahir, Jésus, alors qu'ils étaient face à face dans sa cellule, s'avança vers son oppresseur avec amour et, sans le condamner, l'embrassa doucement sur la bouche et reprit le chemin de la liberté, le laissant à sa propre responsabilité.

Même si nous le rejetons, le Christ nous veut libres. Libre victime de notre liberté, il se tient au centre de l'existence humaine authentique. C'est lui la vérité vivante au sujet de la liberté comme condition nécessaire pour que l'amour créateur de Dieu se réalise dans l'histoire humaine. Le philosophe chrétien Berdiaev explique ainsi ce paradoxe:

> La liberté du bien implique la liberté du mal; mais la liberté du mal mène à la destruction de la liberté elle-même et cette désintégration aboutit à la nécessité du mal. D'un autre côté, refuser la liberté du mal en faveur d'une liberté exclu-

---

29. *Ibid.*

sive pour le bien aboutit également à la négation de la liberté et à sa dégénérescence en une nécessité du bien. Mais le bien par nécessité n'est pas le bien, parce que le bien réside dans la liberté à l'égard de toute nécessité[30].

Toute interprétation de l'obéissance qui change le christianisme en coercition trahit la vérité qu'est le Christ. Et cependant le «bien imposé» a fait partie de la chrétienté presque dès le commencement. «L'écrasement» dû à la malédiction originelle fait vraiment partie de notre histoire jusqu'à aujourd'hui, et notre réponse ne peut être qu'un «baiser», car la contre-oppression est aussi oppression et ne rend pas service à notre liberté d'enfants de Dieu.

Quiconque donne à ces considérations le sérieux qu'elles méritent verra que la liberté intérieure avec laquelle Jésus embrassa la vérité de sa propre intégrité porte plus facilement à la réflexion qu'à l'imitation; pourtant c'est là par-dessus tout que passe le chemin qui nous mène à Dieu. La nature de l'amour créateur de Dieu exige que notre réponse soit libre, car l'amour meurt lorsque la liberté n'existe plus. C'est ce que symbolisait le baiser du Jésus de Dostoïevski. Bien loin de montrer une faiblesse gentille en face de la méchanceté ou de la cruauté, il provenait d'une force intérieure qui savait où elle allait. C'était le baiser de la liberté qui laissait aux autres toute leur responsabilité. Donné par l'Homme-Dieu, il conférait une bénédiction même à l'infidélité de l'Inquisiteur, plutôt que de faire violence à sa loyauté. Ce baiser cependant ne le mettrait pas à l'abri de la conséquence ultime de son infidélité. Le «baiser» fut donné pour un plus grand bien, à savoir l'amour qui ne peut exister sans liberté.

---

30. Nicholas BERDIAEV, *Dostoyevsky*, Cleveland, World Publishing Co., 1962, p. 70.

186

La fidélité créatrice

Vivre dans cette vérité peut être une agonie. Seule une profonde centration peut rendre cette douleur supportable. Il me semble que souvent, peut-être à cause de la douleur, beaucoup d'entre nous passons notre temps à la périphérie de l'obéissance, nous préoccupant de ses structures et nous exposant à l'oppression à ce niveau, plutôt que d'avancer en ses profondeurs. Je ne veux pas nier l'importance de nos préoccupations concernant le gouvernement et la filière de l'autorité. Je me demande, cependant, pourquoi elles semblent jouer un rôle si minime dans l'obéissance de Jésus. Comme Soelle le signale: «Ni la réflexion traditionnelle portant sur le comment de l'obéissance, ni la relation directe entre celui qui commande et celui qui obéit ne jouent un rôle immédiat» dans la vie et la prédication de Jésus[31]. Que les personnes présentant une demande fussent dûment autorisées ou non n'était pas aussi important que l'autorité intérieure qui appuyait leur parole et émanait de leur vie. Jésus lui-même est ici notre principal exemple. N'était-il pas un simple charpentier de Nazareth? Et pourtant une puissance sortait de lui. «Les gens étaient fascinés par son enseignement, car il parlait avec autorité» (Lc 4,32). Si nous devons survivre à «l'écrasement» du traditionnalisme ecclésial, je me demande, surtout pour celles parmi nous qui faisons vœu d'obéissance évangélique dans la vie religieuse, si l'obéissance tout intérieure de Jésus ne devra pas retenir davantage l'attention qu'elle ne l'a fait jusqu'à présent. Une centration tranquille qui tire sa force de l'intérieur peut surmonter cette forme d'arrogance plus efficacement que des démonstrations de colère visant à faire valoir son point de vue. L'obéissance autonome peut même parfois commander une désobéissance à un commandement extérieur pour l'amour du

---

31. SOELLE, p. 41.

règne de Dieu, qui comprend toujours le bonheur de l'humanité. En tout cela, cependant, une écoute bien centrée, un discernement communautaire et un désir sincère de suivre le mouvement de l'Esprit dans nos vies et dans l'histoire sont la pierre de touche d'une vraie liberté. Le poids de l'institution, le culte de la loi et de la sécurité ne le sont pas. «[La loi] a été faite pour les humains et non les humains pour [la loi]» (*Mc* 2,27).

J'ai l'impression que, une fois les interprétations cultuelles d'inspiration patriarcale écartées du dessein rédempteur de Jésus[32], il reste très peu de chose de réglé et de fixé d'avance. L'obéissance de Jésus consistait beaucoup plus à avancer selon une écoute attentive qu'à se conformer minutieusement à des ordres ou à un plan prédéterminé. De la sorte, son obéissance était créatrice et tournée vers l'avenir, et la nôtre devrait être semblable. «Quand la volonté de Dieu est conçue comme fixée une fois pour toutes, ce qui est considéré comme divin est nécessairement regardé comme ancré dans le passé: un *establishment*, une patrie, un droit de propriété[33]», une tradition, de saintes coutumes. La vie vécue de façon holistique n'ignore pas le passé, mais elle ne s'y perd pas, même au nom des exigences de la «sainte règle» ou d'un magistère. C'est seulement lorsque nous répondons de façon créatrice à la volonté de Dieu, en tant que révélée dans la situation existentielle du moment concret, que l'obéissance prend vie en nous. Alors nous pouvons écouter avec enthousiasme les possibilités de transformation du monde qui se manifestent à nous en attente de notre réponse.

Mais si une personne est restaurée dans la liberté par la libération du Christ, elle ne prendra pas seulement la

---

32. Je renvoie le lecteur à l'exposé sur l'approche holistique du sens de la rédemption, dans la section «Vers un paradigme holistique», au chapitre 1.
33. SOELLE, p. 42.

responsabilité d'un ordre du monde, elle s'engagera dans sa transformation. La force dont elle a besoin pour changer quelque chose, pour découvrir, pour mettre en mouvement, est la spontanéité. En retour, cette spontanéité provoque une nouvelle liberté. Les personnes qui ont grandi dans ce cercle vital *ne sont pas formées à s'insérer dans un ordre établi,* mais bien à vivre la liberté[34].

La spontanéité de la liberté créative ne devrait en aucune façon être prise pour du dévergondage. La fidélité créatrice à la volonté de Dieu se révélant elle-même dans la réalité vécue du hic et nunc exige plutôt une sensibilité aiguë: l'attente active des «vierges sages», des serviteurs en tenue de service. La liberté sans obéissance n'est pas liberté. Elle devient plutôt de la licence. Une disposition profonde à l'écoute ouverte demande de la discipline et une volonté de se donner à tout moment pour répondre aux besoins de la situation, mais elle exige aussi de savoir attendre et garder le silence, de supporter les ténèbres du moment jusqu'à ce qu'on soit éclairé sur la conduite à tenir. La puissance de l'obéissance authentique se trouve d'abord et avant tout dans la profondeur et l'abandon du cœur humain rendu sensible par une patiente endurance. Encore une fois, ce n'est pas quelque chose qu'on décide de «faire» dans un éclair d'inspiration; c'est plutôt un appel dont la portée demeure habituellement très en avance sur nous.

Une force qui unifie les trois vœux

Les réflexions des dernières pages pourraient paraître étranges sous plusieurs rapports dans une époque qui valorise ce qui est précis et expéditif. Après tout, qu'est-ce que le processus d'écoute peut bien avoir affaire avec l'efficacité pratique? Toute-

---

34. *Ibid.,* p. 44-45. Les italiques sont de B. FIAND.

fois, on ne peut éviter le fait que ce qui donne de l'énergie à la spontanéité de notre liberté obéissante sur le modèle de l'Évangile se nourrit d'attente humble plutôt que de plans et d'actions fiévreuses. La vie «active» de Jésus ne vint qu'après trente années d'attente de cette sorte. Etant donné la sécheresse de notre temps et notre besoin radical, à tous égards, de nous recueillir et de «prier pour la pluie», n'est-il pas probable que les réponses qui ont à se révéler aujourd'hui se trouvent dans des questions plus profondes, dans le mandat de se tenir radicalement au service de la vérité comme mystère et d'en supporter la souffrance?

Et si, pour chacune de nous, aujourd'hui, l'obéissance voulait dire d'abord et avant tout ouverture et attention aux signes des temps et fidélité à notre propre intégrité à mesure qu'elle se déploie? Et si la pratique de l'obéissance aujourd'hui se trouvait plus souvent dans de courageuses rencontres avec le doute pour y faire l'expérience de la foi possible, plutôt que dans des proclamations fermes de certitude suivies d'actions bien définies? Et si l'obéissance voulait dire de nous tenir avec patience au cœur des tensions entre choix moraux apparemment opposés et de supporter l'angoisse de l'ambiguïté? Et si nous avions, à cause de l'Évangile, à choisir à l'encontre de tous les désirs de notre cœur et à endurer la douleur en silence parce que personne ne comprendrait? Et si l'obéissance pointait vers l'amertume du vide à supporter et nous introduisait dans les ténèbres silencieuses de l'incroyance contemporaine et dans des questions apparemment sans réponse où il faut s'abandonner dans l'espérance inconditionnelle? J'ai déjà laissé entendre que, dans un âge de technologie et de réponses rapides et précises, il est extrêmement difficile d'adopter une attitude d'attente, de porter des questions qui font souffrir sans exiger de solution, de s'incliner respectueusement devant l'insondable. Il est plus que difficile, il est même angoissant «de faire face aux enjeux de notre temps et d'attendre humblement les bonnes questions qui les cernent[35]». Pourtant, c'est précisément dans cette difficulté que le mystère pascal s'ouvre pour nous, que le sacrifice qui est vie évangélique, loin du cilice et des chaînes d'autrefois, s'épanouit de l'intérieur et proclame la rédemption. C'est ici aussi, je crois, que l'obéissance en profondeur devient une force unifiante pour les trois vœux et qu'une véritable communauté chrétienne se présente à nous comme une possibilité lumineuse.

> Comment est-il possible de connaître la pauvreté comme «solidarité avec les pauvres», par exemple, à moins de savoir *attendre* dans le respect et la douleur la révélation de cette pauvreté dans laquelle tout notre être baigne. Une pauvreté qui nous dispose à l'écoute et au service humble et qui nous empêche de nous engager dans des œuvres de pitié plutôt que de compassion. Comment vivre comme célibataires en communion avec les autres et, par conséquent, à contre-courant de la culture, à moins d'oser envisager les questions pénibles concernant nos propres ténèbres intérieures, à moins de faire face au mystère des tendances contre-sexuelles présentes en nous et d'admettre que nous sommes portés à les projeter sur ceux et celles que nous rencontrons? Trouver la vérité au sujet de notre moi intérieur comme être vivant avec d'autres signifie vivre les questions qui nous amènent à saisir d'autres questions plus profondes rencontrées au cœur d'un vivre ensemble réfléchi[36].

Tout cela signifie vivre en communauté; tout cela signifie l'obéissance. Une obéissance authentique exige la pauvreté en esprit. Elle exige le renoncement à soi: cet «acte de responsabilité

---

35. FIAND, p. 50.
36. *Ibid.*

totale» dont il a été question au chapitre 3, «par lequel nous nous prenons en main et nous nous mettons à la disposition du tout» afin de «re-présenter le tout[37]». Grâce au renoncement à soi, l'autonomie est sauvegardée dans son intégrité. Elle ne se dégrade pas dans un individualisme égocentrique, mais elle voit au centre de l'intériorité humaine une loi plus profonde qui pointe vers notre unité avec toute l'humanité, avec notre terre, avec le cosmos et ultimement et intimement avec Dieu.

Une obéissance authentique exige aussi le vide de la «maternité virginale», le vide pour Dieu (*Vacare Deo*) examiné au chapitre 4, la vulnérabilité qui peut reconnaître le besoin et laisser Dieu être Dieu en nous[38]. Si nous ne recherchons pas le vide mais avons toutes les réponses pour toutes les situations et tous les problèmes, nous ne pouvons pas être assez libérés pour nous écouter les uns les autres et pour écouter Dieu. Il y a trop de bruit en nous pour entendre la douce brise de l'Esprit. Nous sommes en possession des réponses avant même que les questions ne soient posées et nous nous trouvons incapables d'endurer les tensions créatrices de possibilités nouvelles. L'obéissance serait alors trop périlleuse, trop douloureuse pour nous et, consciemment ou pas, nous préférerions alors opprimer ou être opprimés.

Un peuple du Fiat

Il faut souligner que Jésus, l'obéissant par excellence, qui écoutait volontiers, qui parlait et agissait en vertu d'une autorité intérieure, était très à l'aise avec les *anawim*, «ces gens pauvres,

---

37. Voir la section «L'appel au renoncement» au chapitre 3. La citation est de Donald NICHOLL, *Holiness*, p. 21.

38. Voir les sections «Notre nostalgie de Dieu», «Vivre la tension», «Nous approprier nos sentiments» au chapitre 4.

véritablement et totalement pauvres devant Dieu[39]» qui étaient pauvres et se savaient pauvres, qui pouvaient donc être obéissants — assez vides pour recevoir la Parole de Dieu, l'énergie de Dieu. Leur vide rendait possible la «maternité virginale» pour porter Dieu au monde, parce qu'il les orientait vers la source de leur force et que, dans leur pauvreté, ils s'abandonnaient à Dieu. Leur justification ne venait pas du fait qu'ils exécutaient promptement ce qui convenait, mais du fait qu'ils étaient vulnérables devant Dieu et qu'ils dépendaient uniquement de la puissance de Dieu pour réaliser leur justification en s'abandonnant à lui. Selon Sandra Schneiders, ils étaient un peuple du *Fiat*, engagé dans «une sorte d'humilité existentielle[40]», qui comptait seulement sur la compassion infinie de Dieu et, en retour, marchait sur cette terre avec compassion, ne jugeant ni ne condamnant, ne prenant pas de décision à la place des autres. Parce qu'ils avaient un sens profond de leur petitesse et de leurs blessures, qu'ils avaient l'expérience de l'accueil et de l'amour inconditionnels de Dieu, les *anawim* ont toujours su que, même si la loi est utile, l'obéissance à la loi ne garantit pas la sainteté. La sainteté provient de l'ouverture à «l'Esprit de sagesse, à la prière, à l'amour, au zèle empressé, à l'Esprit même de Jésus. [...] Ce n'est pas la loi qui nous dit ce qui est bien (ou que nous sommes bons); c'est la recherche constante du bien qui nous rend aptes, en dernier ressort, à discerner ce qui, dans les choses humaines, est vraiment la volonté de Dieu[41].»

La vraie obéissance, libérée par le Christ, vient de notre disposition à lâcher prise — une disposition qui nous est donnée lorsque nous nous considérons comme des *anawim*, des pauvres

---

39. SCHNEIDERS, *New Wineskins*, p. 162.
40. *Ibid.*, p. 161.
41. *Ibid.*, p. 164.

de Dieu. Tant que nous nous accrocherons à nos talents, à notre force, à notre intelligence, à notre situation, nous continuerons à nous comparer aux autres et à déterminer des niveaux d'excellence pour nous et pour les autres. Ce n'est qu'en adhérant au vide radical de Jésus que nous permettrons à Dieu d'être Dieu en nous et pour nous. C'est là que réside notre rédemption, le chemin vers notre demeure. C'est le chemin qui nous amène à reconnaître notre incapacité totale à ne rien faire de bon par nous-mêmes et donc à accueillir enfin l'amour illimité de Dieu. C'est le chemin qui exprime la vérité de la condition humaine comme *aimée* et *libre*.

Je me suis demandé dernièrement si le vingtième siècle, qui s'est révélé si dépourvu de réponses, comme un âge de l'aliénation où aucune des anciennes façons de faire ne réussit plus, un âge du désespoir et du nihilisme, ne pourrait pas finalement être l'époque qui nous invite avec le plus d'insistance à l'obéissance radicale selon l'Évangile. Pour la première fois alors que les solutions toutes faites ne marchent plus, que les réponses sont aussi souvent inopérantes qu'efficaces, alors que le doute radical a remplacé la certitude radicale, peut-être alors serons-nous poussés vu notre totale incapacité à ne faire rien d'autre, à supporter la question et à attendre, à laisser la question nous conduire aux profondeurs de l'intériorité pour y demeurer en toute humilité, dans l'espérance de voir Dieu naître dans nos vies.

À la lumière de ces considérations, on peut maintenant réfléchir encore une fois sur le *Fiat* de la Mère de Dieu rappelé au début de ce chapitre. C'est peut-être plus clair maintenant que, loin d'être une parole de résignation passive et de douce soumission, le oui de Marie a libéré une puissance extraordinaire. Son *Fiat* a permis à l'énergie de Dieu de devenir chair. Son *Fiat* fut le testament de son obéissance, de la créativité qui naît du vide réalisé en soi-même. Il témoigne de son courageux abandon à des difficultés ineffables, à d'innombrables questions et de sa confiance totale au Dieu qui la soutiendrait jusqu'à la fin. Marie est le modèle de l'audace incroyable qu'exige l'obéissance. Par son oui, la christification du cosmos devint possible, la Parole devint chair et l'histoire trouva un sens. Son obéissance fut puissamment créatrice, une empreinte de liberté. Cependant, elle n'avait pas besoin d'en parler ou de se justifier en face d'un rejet possible. Elle gardait ces choses paisiblement dans son cœur avec un détachement parfait. Le *Fiat* de la Mère de Dieu est pour les forts, c'est-à-dire, paradoxalement, pour ceux qui sont assez vulnérables pour donner leur vie en vue de la transformation de toutes choses dans le Christ.

Quelques réflexions sur notre situation existentielle

Les paradoxes qui se révèlent à nous lorsque nous sondons la profondeur de l'obéissance sont bouleversants: la vulnérabilité est force; l'abandon nous ouvre à la liberté; la créativité réside dans la fidélité; l'obéissance doit parfois devenir désobéissance. Aperçus d'une grande puissance certes, mais, pour beaucoup d'entre nous, ils sont «inutiles», à notre grande frustration. Il semble que les spéculations sur leur signification pratique pour notre vie comme religieuses et religieux au vingtième siècle produiront peu de résultats tangibles. Il est vrai que le paradoxe n'est pas très pratique, et irrémédiablement non théorique; lorsqu'il nous visite, il ne révèle ordinairement rien tant qu'il ne nous a pas introduits dans un autre «ordre». Une manière d'en apprendre quelque chose est de nous tourner, encore une fois, de propos délibéré, vers la «sécheresse» de notre temps et de nous rappeler comment le faiseur de pluie de Chiao-Chou peut nous servir de modèle. L'histoire dit que catholiques, protestants et Chinois avaient tous une solution pour la sécheresse, mais aucune d'entre elles n'amena de la pluie. Puis, un petit vieux tout

195

rabougri se recueillit dans une maisonnette tranquille et se mit «en attente». Plus que toute autre vertu, l'obéissance est d'abord et avant tout une disposition. À Chiao-Chou, catholiques, protestants et Chinois dépensèrent beaucoup d'énergie à «faire» des choses. Pour les catholiques, des processions, pour les protestants, des prières, quant aux Chinois, ils brûlèrent de l'encens et tirèrent des coups de fusil. Le petit vieux, lui, attendit avec patience et cette attente fit venir la pluie. Attendre signifie: écouter, être ouvert, vulnérable, pauvre, avouer sa dépendance et ainsi pointer vers l'au-delà. Au cours de l'attente, nous sommes souvent visités par la douleur, par un désir ardent. Attendre implique une impatience humble, une réceptivité créatrice, de l'obéissance. Attendre, c'est prier.

La prière

Selon Jean Shinoda Bolen, comme on l'a vu, l'«état de sécheresse» de la psychè signifie un mal-aise, une anxiété causée par l'absence d'ordre intérieur, un sentiment d'isolation, de séparation du tout. Dans un monde extraverti où l'action doit produire des résultats et où l'anxiété et l'inquiétude sont à la hausse, où quelques-uns seulement ont assez de temps pour entrer en eux-mêmes et y demeurer en paix, il peut être très signifiant de considérer notre vœu d'obéissance comme un engagement à établir le centre de notre être dans la prière pour la guérison de la famille humaine. Trop souvent, me semble-t-il, nous «faisons» beaucoup trop de choses quand nous prions. Nous «disons» des prières. Même quand nous nous réunissons, nous «faisons» des prières, et quelqu'un est toujours responsable de l'office divin. Personnellement, je me sens souvent coupable quand je constate combien l'ennui me gagne pendant les quinze ou vingt minutes avant chaque réunion quand nous «faisons» la prière.

Quand la prière remplace l'Eucharistie, nous mettons beaucoup d'effort pour rendre cette prière significative et symbolique. Le rituel, cependant, semble se mouvoir entre l'ancien et le nouveau et ne tolère pas trop de changement d'un seul coup. Un rituel trop original et donc étranger à plusieurs des participants tend à nous distraire et à nous tourner vers l'extérieur, loin de notre intérieur et même loin les uns des autres. Les femmes, en particulier, se sentent prises dans leur prière commune entre, d'une part, l'oppression d'un système qui ne leur permet pas de choisir parmi elles quelqu'une qui présidera aux anciens rites de leur foi (n'ayant pas leurs propres ministres ordonnés, il arrive souvent qu'elles ne trouvent personne qui le fasse adéquatement) et, d'autre part, le besoin d'un culte collectif et d'une expression de leur commune appartenance dans le Christ. Dans un tel dilemme, il est bon de nous rappeler qu'il n'est pas nécessaire de suivre un rite quand nous nous retrouvons ensemble pour prier. Le rite a sa place, mais également le rassemblement paisible et silencieux.

La prière qui est obéissance est une prière qui écoute, une prière de quiétude, de simplicité, qui ne dit ni ne fait rien, qui est avec l'autre sans l'étouffer. C'est la prière qui attend. Même s'il est vrai que nos offices religieux prévoient un temps de prière silencieuse, pour beaucoup (et surtout pour les introvertis) l'invitation à partager, qui suit habituellement, tend à faire de ce temps de silence un temps de préparation de ce qu'on va dire à son tour plutôt qu'un temps d'écoute silencieuse. Je me demande ce qui se passerait si les religieuses se réunissaient plus souvent avec l'intention expresse d'écouter; si, avant nos congrès et nos chapitres, nous nous rassemblions non seulement pour louer mais aussi pour écouter la Parole silencieuse de Dieu au milieu de nous qui nous parle à partir de l'événement concret. Je ne parle pas du temps de réflexion que nous nous offrons au cours des discernements collectifs, quand nous nous dispersons au jardin ou à la chapelle pour des moments tranquilles. Je veux dire *prendre du temps de solitude tout en étant ensemble*, afin d'écouter et faire l'expérience de ce que Jean de la Croix nomme:

> La musique silencieuse,
> La solitude harmonieuse,
> Le festin qui charme et qui remplit d'amour[42].

La prière qui est obéissance «ne se préoccupe pas de la pensée mais du fondement de l'être où la pensée prend sa source[43]». Elle nous nourrit et nous prépare pour la pensée et la parole. En elle, nous dit William Johnston, «se trouve le vrai moi[44]» et j'ajouterais: en elle aussi se trouve la communion en profondeur avec les autres. Une énergie coule au milieu de nous, une présence sacrée qui réside au centre profond de notre être ensemble, quand nous sommes toutes réunies pour écouter. Il n'y a pas de mots pour le décrire adéquatement. On s'avance avec intensité vers le dedans, et plus on avance, plus on se sent en vie, relié à tout ce qui vit; et plus on s'ouvre avec compassion à toute la douleur du monde.

La guérison se produit aussi dans cette solitude silencieuse ensemble. C'est une guérison qui prend sa force du centre où les accusations et les jugements fondent en pardons. C'est une guérison qui nous sort de nos préoccupations individuelles et communautaires pour rejoindre la douleur et les souffrances de l'humanité, l'agonie de l'univers et nous fait accéder à l'intégralité. On ne peut rendre compte des intuitions acquises durant ce temps de silence ensemble. On n'a pas besoin d'en rendre compte,

---

42. Saint JEAN DE LA CROIX, *Œuvres spirituelles*, trad. de Grégoire de Saint-Joseph, Paris, Seuil, p. 680.

43. William JOHNSTON, *Christian Zen*, New York, Harper & Row, 1971, p. 32.

44. *Ibid.*

car l'énergie se fera sentir par toutes et les idées neuves arriveront — quand Dieu le voudra.

Une obéissance qui touche l'univers

La prière qui est obéissance doit nous accompagner en tout temps. Nos moments de silence ensemble nous le rappellent. Ce genre de prière identifie notre vœu, d'abord et essentiellement, comme une disposition, une attitude de présence qui se préoccupe de tout et d'ouverture à tout. Nos problèmes de vieillissement et de déclin connaissent cette disposition profonde de l'obéissance avec une acuité particulière, mais aussi toute démarche vraie vers la maturité et l'intégralité. Le cheminement du milieu de la vie, avec ses désirs d'intimité et de fécondité, avec la rencontre particulièrement pénible du contre-sexuel au-dedans et le besoin d'écarter les projections et d'envisager le transfert[45], invite la majorité des religieux actifs à une grande attente patiente — à l'obéissance.

Une amie très chère voit, dans l'angoisse de nos cheminements personnels, un reflet de l'odyssée de toute l'humanité. Ses vues peuvent nous aider à comprendre que la sainte attente, la patiente endurance qu'est notre obéissance, a une signification qui dépasse de beaucoup nos simples préoccupations personnelles. Nous acceptons la souffrance de nos cheminements pour le salut, la conscientisation de toute l'humanité. L'obéissance à la croissance holistique accepte la responsabilité pour le «Christ» dans notre titre de «chrétiens». La lutte pour la maturité, la recherche de l'intégrité humaine, à laquelle chacun de nous se li-

---

45. Un grand nombre d'écrits depuis une décennie ont traité de ces diverses expériences. Pour un exposé clair et précis sur le milieu de la vie, ses phénomènes et sa crise, je réfère le lecteur à *Celebrate Mid-life*, de Janice BREWI et Ann BRENNAN, New York, Crossroad, 1988.

vre, selon sa sensibilité particulière à l'engagement de son vœu, a des répercussions cosmiques. On se rappellera les remarques de Gerald May, au chapitre précédent, sur la «transmutation de l'énergie[46]». Même si nos propos se centraient alors sur les aspects érotiques de l'énergie vitale, le principe reste le même. L'énergie «Agapè» est l'élan vital de base de l'univers[47], l'Esprit qui nous pousse, avec toute la nature, vers la plénitude que nous nommons Christ. L'abandon conscient à ce processus est ce que j'entends d'abord et avant tout par l'obéissance vraie. Par elle s'accomplit non seulement notre sainteté personnelle, mais la christification de l'univers. Cette obéissance n'est donc pas seulement individuelle mais communautaire aussi, dans le sens le plus profond du mot. Une exhortation de Lao Tseu me vient à l'esprit; elle saisit bien cette disposition d'abandon créateur qui touche l'univers:

> Fixant vos âmes spirituelles sur les charnelles
> Étreignant l'Unité
> Pouvez-vous empêcher leur séparation?
> *Concentrant* vos souffles
> Atteignant au souffle
> Pouvez-vous être l'Enfançon?
> D'un regard net et pur
> Contemplant le mystère
> Pouvez-vous être sans défaut?
> Veillant sur votre peuple
> Gouvernant bien votre pays
> *Pouvez-vous établir le non savoir...*
> Comprenant tout et restant ouvert à tout
> Pouvez-vous pratiquer le non agir?

---

46. Voir la section «Notre nostalgie pour Dieu» au chapitre 4.
47. Gerald G. MAY, *Will and Spirit*, p. 172.

Laisser être, aider à croître
Laisser être, ne pas accaparer
Entretenir et ne pas assujettir
Présider à la vie et ne pas faire mourir
Voilà le Mystère de la Vertu[48].

Sans tenter de disséquer une méditation si profonde, nous pouvons néanmoins trouver ici l'expression poétique de ce dont nous avons traité jusqu'à maintenant: l'accent mis sur l'incarnation qui évite le piège du dualisme et l'ouverture qui rend capable de plier et donc d'être prêt pour une vie nouvelle comme un nouveau-né. Cette attention prévenante aspire à ce qui est primordial et recherche la perception en profondeur, l'innocence originelle. Elle aime de façon universelle et n'a pas besoin d'être rusée ou d'impressionner par indépendance. Elle connaît la force de la passion créatrice et elle peut donner. Elle ne cherche pas la louange ou le pouvoir. Elle dirige parce qu'elle a atteint le centre intérieur de toutes choses, là d'où vient la direction. Elle ne sent pas le besoin de contrôler parce que la puissance vient du dedans.

L'autorité

Avec une grande sensibilité, Lao Tseu unit harmonieusement ce qui, dans la tradition dualiste, a toujours été en opposition: celui qui écoute et celui qui dirige, l'obéissance et l'autorité. Il est évident que, dans le modèle holistique, seul peut conduire celui qui attend, qui écoute, qui a touché le cœur de la vie et qui en a été instruit. Le leadership n'est pas quelque chose qu'on mérite, même si on a beaucoup travaillé ou si on a fait partie de beaucoup de comités. Je m'inquiète, particulièrement quand il s'agit

---

48. LAO TSEU, *Tao Te King*, trad. de C. Lane, Desclée de Brouwer-Bellarmin, 1977, p. 169.

de la vie religieuse, que des élections remplacent le discernement des dons et que la cabale, même la plus pieuse, intervienne dans le choix des supérieures. Quelque subtil que cela soit, des élections, même les plus démocratiques, parce qu'elles font partie du jeu de forces à l'œuvre dans la politique contemporaine, se prêtent trop facilement à une interprétation dualiste de l'autorité. De plus, la démocratie, même à son meilleur, n'est qu'une manifestation de la «volonté» du peuple et peut n'avoir pas grand-chose à voir avec le règne de Dieu.

Les religieux ne devraient pas gagner leurs élections. Ils devraient entendre un appel! Assurément, cet appel ne peut pas être simplement une obligation venant de l'extérieur, comme la plupart d'entre nous l'avons expérimenté avant Vatican II et comme les structures ecclésiastiques le maintiennent encore dans le milieu paroissial et diocésain, malgré des modifications légères et sans grande portée. L'appel au leadership vient de ce qu'une communauté reconnaît dans un individu une autorité authentique, nécessaire pour la croissance et l'intégralité de l'ensemble. Comme on l'a déjà dit, l'autorité intérieure a peu à faire avec la «position». Cependant, le discernement dans une communauté fait bien de viser à joindre les deux. Non dans le but de revenir en arrière en cherchant toutes les réponses et en attendant de ceux «qui ont été choisis pour nous conduire» les solutions à tous les problèmes. Le mot «autorité» vient du latin *augere* et veut dire faire grandir, donner plus de force, bâtir, édifier[49]. Comme telle, l'autorité authentique nous conduit au seuil de notre propre vision et nous soutient dans sa réalisation. Voilà ce que nous devons en attendre, ce que nous devons rechercher dans notre processus de discernement.

---

49. Bernhard J. BOELEN, *Personal Maturity*, p. 158.

La tâche de l'autorité véritable est d'abord d'écouter les pulsations en profondeur de la communauté dont elle fait partie. Bernhard Boelen le dit bien: «L'autorité mûrie doit obéir non seulement à l'autorité de ceux qui obéissent mais aussi à sa propre autorité[50].» Elle est capable de le faire parce qu'elle connaît le sens de l'écoute et les bienfaits de l'attente, et qu'en cheminant à travers les morts et les résurrections de la vie religieuse, elle a fait l'expérience de la puissance de la prière.

En pratique, «obéir à l'autorité de celles qui obéissent» veut dire assumer la responsabilité d'interpeller la communauté pour qu'elle s'occupe de ce qui la concerne, et qu'elle devienne ce qu'elle est. Ce n'est pas toujours tâche facile, car il faut écouter attentivement l'ensemble du groupe et savoir distinguer ce qui pourrait être la voix de quelques personnalités fortes, peut-être même la sienne propre, dans l'esprit de l'ensemble. Voilà qui requiert un mélange de compassion et d'honnêteté radicale. Le «baiser» du Jésus de Dostoïevski est un rappel solennel que l'obéissance autonome est fondée sur la liberté. Toutefois, elle est aussi bâtie sur l'honnêteté. Le besoin d'être approuvé ne doit pas empêcher un chef de dire ce qui doit être dit. D'ailleurs, c'est essentiellement une affaire d'à-propos. La croix de l'autorité, plus souvent qu'autrement, se trouve dans l'angoisse de l'attente.

J'ai laissé entendre ailleurs que l'autorité, de nos jours, devrait proposer une façon de poser des questions, plutôt que de tenter de fournir les réponses. Son authenticité apparaît quand elle est attentive aux signes des temps, «quand elle attend avec passion les questions qui confrontent radicalement notre temps[51]». Son premier mandat est l'abandon à la vérité qui se déploie. La vérité, toutefois, apparaît toujours énigmatique à

---

50. *Ibid.*, p. 159.
51. FIAND, p. 48.

première vue. La clarté d'une vision personnelle est justement cela, personnelle. Il n'y a pas de certitude si grande dans la bonne décision d'une personne ou d'un groupe qui annule la possibilité qu'un autre point de vue puisse ajouter quelque chose qui a échappé au groupe et qui change le tableau. On ne veut pas dire par là que l'indécision totale est inévitable, mais plutôt que les décisions et les actions qui en résultent restent ouvertes, n'étant pas finales ou absolues. Les lois sont écrites sur des cœurs humains, non sur des tablettes de pierre. Elles respectent toujours la sagesse du groupe à mesure qu'il évolue.

Lorsque l'autorité se ferme les yeux aux problèmes évidents, qu'elle refuse de chercher plus avant et d'exiger de nous la même chose, c'est alors que l'indécision et la léthargie s'installent et que le soutien cesse d'agir. L'obéissance cesse alors aussi et une vie dédiée à l'écoute attentive s'en va à la dérive. Au lieu de nous interpeller et de questionner notre genre de vie dans le sens d'une plus grande authenticité, une authenticité qui corresponde plus clairement à nos engagements, nous tombons imperceptiblement dans un style de vie nonchalant et nous nous retrouvons bien plus bas, cherchant des mots pour décrire ce statu quo, sans nous demander comment nous y sommes arrivés. Une jeune religieuse très préoccupée par un projet déposé devant une commission sur le gouvernement dans sa congrégation m'en fournit un exemple. Comme les membres des «communautés locales» ne formaient pas vraiment une communauté, on proposait d'adopter le nom «groupe local» qui serait plus conforme à la réalité. La question à se poser ici est plutôt pourquoi et comment on a pu laisser les choses se détériorer à ce point. Quelles responsabilités avaient été mises de côté? Qui avait négligé son devoir de prendre en compte le sens de la communauté et ses défis, de faire des efforts pour ramener la communauté et ses membres à la santé et à l'intégralité; de s'attaquer au problème de l'indifférence et d'un individualisme malsain? Il faut avouer que, dans ce cas comme dans d'autres, il est rare que nous vivions une situation idéale, mais pouvons-nous aujourd'hui éviter de faire de vrais efforts pour l'atteindre? Quelle est notre vision de la vie religieuse? Que se passera-t-il quand la plupart d'entre nous, par indifférence ou irréflexion, aurons perdu la vision? Que sommes-nous alors?

Voilà les questions que se pose l'autorité authentique. Elles sont rarement posées par celles qui ont «gagné l'élection» en menant une bonne campagne et qui sont trop affairées à maintenir leur popularité pour provoquer les membres vers plus d'authenticité. Ces interrogations sont le fait de celles qui obéissent à l'ensemble pour l'amour du Saint. Voilà les pauvres en esprit qui travaillent et ne recherchent pas «le mérite». «Compréhensives et ouvertes à toutes choses», elles portent sans posséder, elles guident sans dominer. Elles pratiquent la «vertu première».

Conclusion

Je crains que ces réflexions sur l'obéissance n'aient été décevantes. À une époque où plusieurs parmi nous se débattent contre une véritable oppression de la part des forces de l'autocratie, il se peut qu'on trouve de faibles secours à entendre parler de l'obéissance comme «d'un abandon à la profondeur de sa propre intégrité.» Que faisons-nous de l'oppression actuelle qui exclut les uns de certains ministères pour des raisons arbitraires et refuse à d'autres le dialogue et une réflexion partagée afin de maintenir un contrôle unilatéral? Je dois dire avec tristesse que je n'ai pas de réponse si ce n'est encore le «baiser» du Jésus de Dostoïevski et le silence de l'homme de l'Évangile qui connaissait l'origine du pouvoir (*Jn* 19,11) et y avait son centre. Il n'échappa pas pour autant à la croix (nous n'avons pas non plus de garantie en ce qui nous concerne), mais il préserva son intégrité et Dieu l'a ressuscité.

Comme disciples de Jésus, nous devons travailler pour le règne de Dieu et obéir à ses requêtes. Ce qui exigera parfois d'élever la voix contre l'oppression, même si on doit en souffrir, mais comme communauté et comme individus, cela signifie aussi nous soumettre au discernement de peur de tomber nous aussi dans la pratique de l'oppression que nous sommes appelés à transformer. Notre cheminement dépend de notre engagement à la sainteté dans nos vies, dans notre Église et dans notre monde; notre intégrité se vérifie dans notre faim et notre soif pour la justice.

Questions de mise au point, de réflexion et de discussion

1. Avez-vous fait l'expérience de l'obéissance autoritaire au cours de votre vie? Comme en avez-vous été affectée? Quels sentiments ce concept éveille-t-il en vous? Le voyez-vous comme votre modèle principal d'obéissance?

2. «Toute interprétation de l'obéissance qui se refuse à prendre en compte la culture, l'histoire, les données sociologiques et la responsabilité sociale est aujourd'hui simplement déraisonnable.» Ce danger existe-t-il dans notre société? Pourrions-nous nous prêter à accepter aveuglément le statu quo? Si oui, dans quel secteur de notre vie?

3. Comment «l'aveuglément conditionné» en rapport avec l'obéissance peut-il nous mener au manque d'estime de soi, au désaveu de soi? Donnez des exemples pratiques.

4. Quel sens la citation suivante prend-elle dans votre vie: «L'obéissance authentique mène vers la transformation et non vers la préservation.»

5. Nous voyez-vous comme communautés embrasser le modèle trinitaire de l'obéissance? Ce modèle a-t-il été à notre avantage ou à notre désavantage? De quelle façon?

6. Comment interprétez-vous dans votre vie «l'obéissance pour la justice et la totalité»?

7. Quelle est votre réaction à l'interprétation de la désobéissance comme «un état de dispersion, nous rendant incapables d'écouter la loi intérieure»? Que faire pour trouver la loi intérieure? Que fait-elle en nous?

8. Comment réagissez-vous à «la malédiction de l'écrasement» comme faisant partie de l'histoire chrétienne jusqu'à nos jours et à l'observation que «la contre-oppression est aussi une oppression et ne sert en rien notre liberté d'enfants de Dieu»?

9. L'obéissance peut-elle parfois, signifier désobéissance? Si oui, comment? Comment cette remarque peut-elle se rapporter à l'idée que «la liberté sans l'obéissance n'est pas liberté, c'est de la licence»?

10. «La puissance de la vraie obéissance se trouve d'abord et avant tout au fond du cœur qui se donne dans une patience qui endure.» Avez-vous fait une telle expérience?

11. Comment l'obéissance en profondeur devient-elle une force unifiante pour les trois vœux? Êtes-vous d'accord avec cet aperçu?

12. Avez-vous fait l'expérience de «la solitude silencieuse ensemble»? A-t-elle contribué au discernement communautaire? au processus de guérison?

13. Quelle est votre réaction à l'idée que l'agonie de notre cheminement personnel est un reflet de l'odyssée de toute l'humanité; que notre lutte pour atteindre la maturité, que notre quête de la totalité ont des répercussions cosmiques?

14. Que signifient ces énoncés pour vous? Avez-vous connu de telles autorités?

— «Seul peut diriger celui qui écoute, qui a touché le cœur de la vie et qui en a été instruit.»

— «Le leadership n'est pas quelque chose qu'on se mérite.»

— «Le religieux ne devrait pas gagner ses élections. Il devrait entendre l'appel.»

— «L'appel au leadership vient de la communauté qui reconnaît l'autorité authentique présente dans un individu et nécessaire pour la croissance et la totalité de l'ensemble.»

— «L'autorité vraie nous conduit au seuil de notre propre vision et nous revêt de la force pour la réaliser.»

— «La bonne autorité obéit non seulement à l'autorité de ceux qui obéissent mais aussi à sa propre autorité.»

— «L'autorité ne doit jamais cesser de nous interpeller pour que nous devenions ce que nous sommes.»

6

Une conversion à l'accroissement

Nous avons commencé notre réflexion sur la vie religieuse dans le monde d'aujourd'hui par une histoire, celle du faiseur de pluie de Chiao-Chou. Les histoires peuvent être de puissants agents de changement. Une fois qu'on les a entendues, elles ont tendance à rester avec nous, à nous accompagner et à se rappeler à nous chaque fois que nous avons besoin d'échapper à la dispersion, à l'évasion dans l'extériorité — sur le rebord du cercle. On peut habiter les histoires. Elles ne nous forcent pas à nous concentrer inutilement ni à nous presser. Elles nous captivent plutôt et nous fascinent. Réfléchissant sur le respect de Jung pour les histoires et les mythes, Joseph Campbell nous dit que, lorsque nous sommes trop tournés vers l'extérieur et que nous avons perdu contact avec nos énergies intérieures, les mythes et les histoires sont un moyen de nous faire reprendre contact avec nous-mêmes. «Elles nous parlent en langage imagé des pouvoirs de la psychè qu'il s'agit de reconnaître et d'intégrer dans notre vie, des pouvoirs qui font partie, depuis toujours, de l'esprit humain et qui représentent cette sagesse de l'espèce qui lui a permis de traverser des millénaires[1].» Si nous les prenons au sérieux et maintenons le dialogue avec elles, nous pourrons apprendre beaucoup et «nous accorder avec l'horizon plus grand de notre moi intérieur, plus profond et plus sage[2]». Les bonnes histoires expriment des vérités, mais nous effraient rarement. Jésus se servait d'histoires pour enseigner avec succès, parce que les histoires nous renvoient à notre intégrité. John Shea affirme que, depuis Jésus, la stratégie séculaire des chrétiens a toujours été de «1. réunir les gens, 2. rompre le pain, 3. raconter les histoires[3]». Cette tactique a si bien fonctionné parce que raconter une histoire est, en fait, une habitude des humains depuis les débuts des temps. «Quelle que soit notre humeur, en rêverie ou en attente, en période de panique ou en paix, nous raccordons ensemble des incidents et nous développons des épisodes. Nous surmontons notre douleur en l'insérant dans un récit; nous coulons notre extase dans un récit pour lui donner longue vie. Nous sommes tous condamnés comme Schéhérazade à *raconter des histoires afin de vivre*[4].»

Il semble donc juste de commencer encore une fois avec une histoire ces considérations qui envisagent la possibilité d'une vie nouvelle pour les congrégations religieuses d'aujourd'hui mais qui se font à l'ombre d'une mort possible. C'est une histoire que beaucoup d'entre nous connaissons[5]. Comme toute

---

1. Joseph CAMPBELL, *Myths to Live by* (Des mythes pour vivre), New York, Bantam Books, 1973, p. 13.

2. *Ibid.*

3. John SHEA, *Stories of God* (Histoires sur Dieu), Chicago, Thomas More Press, 1978, p. 8.

4. *Ibid.*, p. 7-8 (italiques de B. Fiand).

5. L'auteur de cette histoire est Francis DORFF. Elle a été citée dans plusieurs ouvrages récents: M. Scott PECK dans le prologue de *The Different Drum*, New York, Simon & Schuster, 1988, p. 13-15; Mary WOLFF-SALIN, *The Shadow Side of Community and the Growth of Self* (La face cachée de la communauté et la croissance personnelle), p. 82-83, avoue l'avoir entendue de John CHITTISTER, o.s.b., *Living the Rule Today: a Series of Conferences on the Rule of Benedict* (Vivre la règle aujourd'hui. Une série de conférences sur la règle de Benoît), Erie, Penn., Benet Press, 1982, p. 98-99.

bonne histoire, elle a un sens universel. Mais je souhaite que nous nous l'approprions car elle parle, avec beaucoup de sensibilité, de notre propos: la douleur, le découragement, le désir, le partage, l'espoir et la promesse que suscite la vie religieuse aujourd'hui. C'est une histoire qui parle de la grâce et de la responsabilité qui l'accompagne. C'est une histoire qui parle de silence, d'émerveillement, de révérence, de confiance et finalement de vie nouvelle:

> Un monastère de grande renommée connaissait des temps difficiles. Ses nombreux bâtiments, autrefois remplis de jeunes moines, et sa grande église, qui avait résonné de chants, étaient maintenant abandonnés. Les gens n'y venaient plus pour se nourrir de prière. Une poignée de vieux moines se traînaient les pieds dans le cloître et louaient Dieu d'un cœur appesanti.

> À l'orée du bois du monastère, un rabbin âgé s'était bâti une petite cabane. Il y venait de temps en temps pour jeûner et prier. Personne ne lui adressait la parole, mais chaque fois qu'il apparaissait, les moines se disaient: «Le rabbin se promène dans le bois.» Et aussi longtemps qu'il y séjournait, les moines se sentaient soutenus par sa présence priante.

> Un jour, l'abbé décida d'aller voir le rabbin et de lui ouvrir son cœur. Après l'Eucharistie du matin, il se dirigea vers le bois. En approchant de la cabane, l'abbé vit le rabbin debout à l'entrée, l'accueillant les bras ouverts, comme s'il l'attendait depuis un bon moment. Ils s'embrassèrent comme des frères depuis longtemps perdus. Debout, ils se souriaient d'un sourire éclatant.

> Après un moment, le rabbin fit signe à l'abbé d'entrer. Au milieu de la pièce, se trouvait une table de bois sur laquelle

reposait une Bible ouverte. Ils s'assirent ensemble devant le livre. Alors, le rabbin se mit à pleurer. L'abbé ne put se contenir. Il se couvrit le visage de ses mains et commença à pleurer lui aussi. C'était la première fois qu'il se vidait le cœur de toutes ses larmes. Les deux hommes étaient assis là comme deux enfants perdus, remplissant la cabane de leurs sanglots et mouillant le bois de la table de leurs larmes.

Quand leurs larmes cessèrent et que le silence revint, le rabbin releva la tête. «Vous et vos frères servez Dieu d'un cœur appesanti. Vous êtes venu à moi pour un enseignement. Je vais vous le donner, mais vous ne pouvez le répéter qu'une seule fois. Après quoi, personne ne doit le redire à haute voix.» Le rabbin regarda alors l'abbé dans les yeux et dit: «Le Messie est parmi vous.» Il se fit un long silence. Puis le rabbin dit: «Il est temps de partir.» L'abbé partit sans dire un mot et sans même se retourner.

Le lendemain matin, l'abbé convoqua ses moines dans la salle du chapitre. Il leur apprit qu'il avait reçu un enseignement du «rabbin qui se promène dans le bois» et que cet enseignement ne devait jamais être répété. Alors il fixa du regard chacun de ses frères et dit: «Le rabbin dit que l'un de nous est le Messie.»

Les moines furent saisis par cette parole. «Que peut-elle signifier?» se demandèrent-ils. «Le frère Jean est-il le Messie? Ou le père Matthieu? Ou le frère Thomas? Suis-je le Messie? Qu'est-ce que cela veut dire?» Ils ne savaient que penser de cet enseignement du rabbin. Mais personne n'en fit mention à nouveau.

Le temps passa et les moines commencèrent à se comporter les uns envers les autres avec beaucoup de respect! Il y avait maintenant chez eux une qualité humaine, douce et cordiale, qu'on ne pourrait décrire mais qui se sentait facilement. Ils vivaient entre eux comme des hommes qui avaient enfin trouvé quelque chose. Et, pourtant, ils priaient et lisaient les Ecritures ensemble comme s'ils cherchaient sans cesse quelque chose. Les quelques visiteurs se sentaient profondément émus par la vie de ces moines. En peu de temps, les gens vinrent de loin pour s'abreuver à la vie de prière de ces moines et des jeunes demandèrent à faire partie de la communauté, comme dans le passé.

En ces jours-là, le rabbin ne se promenait plus dans les bois. Sa cabane était tombée en ruines. Mais, de toute façon, les vieux moines qui avaient pris son enseignement à cœur se sentaient encore portés par sa présence priante.

Nous racontons des histoires afin de vivre. Aujourd'hui, les religieux sont très préoccupés par le problème du déclin de leur congrégation et par l'avenir de la vie religieuse. D'une certaine façon, nous sommes encouragés dans nos efforts, lorsque nous savons que d'autres se joignent à nous pour les mêmes objectifs et que nous ne sommes pas seuls. La certitude que notre vie a de la valeur est accrue quand de nouveaux membres se joignent à nous à cause de la mission. Il est dur de connaître le déclin et la mort; il est douloureux d'étudier cette situation et de se demander «pourquoi». Teilhard de Chardin parle du déclin à l'occasion de la mort physique avec beaucoup de perspicacité:

> Afin de pénétrer définitivement en nous, Dieu doit, de quelque manière, nous creuser, nous évider, se faire une place. Pour nous assimiler en Lui, il lui faut nous remanier, nous refondre, briser les molécules de notre être. La Mort est chargée de pratiquer, jusqu'au fond de nous-mêmes, l'ouverture nécessaire[6].

6. Pierre TEILHARD DE CHARDIN, *Milieu divin*, Paris, Éd. du Seuil, 1957, p. 94.

Peut-être les congrégations religieuses font-elles l'expérience de cet indispensable «évidage» qui fera place enfin pour Dieu. Il peut nous apparaître déconcertant de seulement concevoir et encore moins d'admettre que des institutions expressément formées pour la vie consacrée aient besoin d'évidage. Pourtant, c'est peut-être là que va aboutir notre questionnement. La mort, dit Teilhard, «nous mettra dans l'état organiquement requis pour que fonde sur nous le Feu divin[7]».

J'ai déjà souligné, à la suite d'experts en développement humain, que le processus de maturation de la personne humaine passe par de nombreuses morts et résurrections — des crises — qui peuvent être comparées au point tournant des cultures et des systèmes à mesure qu'ils avancent vers leur plénitude. Ce qui caractérise chaque crise ou chaque point tournant, c'est la mort ou la désintégration de la façon régnante de voir, une mort qui est toujours nécessaire avant que du nouveau puisse apparaître. Dans le premier chapitre, j'ai étudié la résistance naturelle à ce détachement et le danger de durcissement et de calcification dans sa façon de voir et de se conduire où l'on peut se laisser glisser afin d'éviter la douleur de la mort.

Il est naturel que des personnes en situation de crise passent par de longues périodes de désolation et de ténèbres après l'expérience initiale de mort. Pour certains individus, cette période peut durer des années. Une culture qui fait une expérience semblable devra peut-être la supporter pendant des décennies ou même des siècles. Des institutions comme les nôtres peuvent aussi être en transition pendant longtemps, car elles sont inextricablement reliées aux mouvements et aux changements de notre temps. Pendant ces périodes, on voit l'ancienne façon, si confortable, de voir et de faire se désintégrer complètement et

---

7. *Ibid.*

n'être remplacée par rien (ce qui se vérifie pour les individus comme pour les institutions et les cultures). L'on se sent en pleines ténèbres, dans un désert où l'on manque de tout, dans un océan de néant sans aucune direction: sans passé auquel revenir, sans avenir à espérer. La grande tentation de cette période, c'est d'abandonner au lieu d'apprendre à partir des signes des temps, de désespérer et de prendre des décisions en conséquence. En agissant ainsi, toutefois, on impose au processus sa propre direction et on court le risque de le faire avorter. L'attente silencieuse du faiseur de pluie et la prière du «rabbin qui se promenait dans les bois» sont le seul chemin qui mène au salut.

Et lorsque le salut arrive, c'est rarement dans le bruit et les changements tumultueux. Voilà peut-être le grand paradoxe. Pendant une nuit silencieuse à Bethléem, un enfant est né et seuls les pauvres s'en sont aperçus. Le canon et l'épée peuvent apporter des changements, mais rarement opérer une transformation. Un petit bébé emmailloté, devenu ensuite un charpentier silencieux jusqu'à trente ans, contenait en lui-même l'énergie qui changerait pour toujours les façons de voir et ferait toutes choses nouvelles.

Il vaut la peine de s'arrêter à ce qui arriva aux vieux moines «au cœur appesanti» après que le message du rabbin leur fut transmis. L'histoire dit qu'ils furent saisis, émerveillés, mais qu'ils n'en firent jamais plus mention. Comme Marie, ils gardèrent ces choses en leur cœur. Ils apprirent la leçon de leur cœur et, lentement, leur vision fut transformée: «Ils commencèrent à se comporter avec beaucoup de respect les uns envers les autres», ce qui était facile à constater mais non à décrire ou à discuter et qui n'avait pas été programmé ou planifié. Les gens furent de nouveau attirés à eux parce qu'ils priaient avec un grand désir et menaient des vies remplies de sens: *Le Messie était au milieu d'eux.*

Nous avons là un message très puissant pour nous et pour notre avenir. Depuis Vatican II, nous avons dépensé beaucoup d'énergie et de talent à nous attaquer au problème des vocations. Aucun autre programme de la vie religieuse n'a été l'objet d'autant d'attention, de planification, de discussion et de préoccupation; aucun autre programme n'a été révisé et réévalué aussi souvent que celui de la formation. Cependant, nos maisons restent vides et les gens doués que nous avons fait étudier en vue de la formation sont sous-utilisés. Pourquoi? Est-ce que nous posons les mauvaises questions, malgré nos bonnes intentions, entretenant des attentes dépassées, des exigences irréalistes? Avançons-nous vers le centre de ce problème ou nous tenons-nous à la périphérie, dépensant toujours nos énergies à réformer nos programmes au lieu de livrer nos cœurs au message du rabbin et de nous laisser *nous-mêmes* transformer?

Attentes et présupposés

Il y a quelque temps, une de mes étudiantes dans un programme de formation pour les ministères laïcs, me disait qu'elle mettait sa maison en vente et qu'elle emménageait dans une communauté locale de religieuses pour vivre avec elles une vie de simplicité et partager la vie communautaire. Mère de plusieurs grands enfants, divorcée, elle a passé plusieurs années sur le marché du travail et elle se sent maintenant appelée à simplifier sa vie et désire connaître la compagnie de femmes à l'œuvre dans divers ministères de l'Église.

Il va sans dire, sa décision me plaisait beaucoup; j'étais fascinée en particulier par le fait qu'elle n'avait aucun intérêt immédiat à se joindre à une communauté comme membre consacré par vœux, mais qu'elle voulait simplement vivre et partager avec les religieuses, les accompagner — «rompre le pain avec». Son histoire me fit réfléchir sur les nouveaux mouvements dans la vie religieuse, sur des sentiers nouveaux en réponse à la crise des vocations, sur la vie nouvelle au milieu de la mort apparente. Je me suis mise à sonder les attentes que nous continuons de traîner, les exigences que nous continuons d'imposer.

D'abord, il est évident, pour qui veut bien se donner la peine d'observer, que les nouveaux membres, même peu nombreux, sont très différents dans toutes les dimensions de leur vie: âge, origine, activités religieuses antérieures, intérêts, éducation, relations personnelles, culture et race. De plus, peu de congrégations religieuse reçoivent des filles ou des garçons jeunes dans leurs programmes de formation, de sorte que les personnes cherchant à discerner leur vocation sont pour la plupart des jeunes adultes et des gens d'âge mûr, sinon plus. (L'aîné des nouveaux membres dans le programme de spiritualité avait soixante-douze ans.) Nous nous attendons à ce qu'ils se conduisent d'une manière conforme à leur âge. Notre conviction, à juste titre, c'est qu'ils doivent avoir traversé au moins les principales phases de l'adolescence afin de bien évaluer les implications d'un engagement religieux. Nous espérons qu'ils aient fait l'expérience de la vie, qu'ils aient eu des fréquentations, aient connu le marché du travail, qu'ils soient devenus compétents au plan professionnel, responsables, autonomes.

Toutefois, je me demande pourquoi, sachant tout cela et ayant des politiques d'admission bien fondées, notre réponse aux femmes et aux hommes qui viennent observer notre style de vie continue de paraître, dans beaucoup de cas, loin du réel et désuète. Si ces derniers sont aussi évolués que nos politiques l'envisagent, pourquoi ne les traitons-nous pas en conséquence? Pourquoi nos propositions ont-elles l'air, de fait, d'être celles du temps passé? Par contre, si ces femmes et ces hommes ne sont pas aussi évolués que le demandent nos politiques, pourquoi les encourager à s'incorporer à nous?

Un membre de la direction d'une grande congrégation religieuse me disait récemment qu'elle ne comprenait pas pourquoi les nouveaux membres étaient attirés mais partaient après une période de recherche. «Nous les attirons mais nous ne pouvons les garder», disait-elle. Il peut y avoir plusieurs raisons à cela et, dans certains cas, une «absence de vocation». Mais une des raisons ne serait-elle pas nos attentes et nos exigences — des exigences que peu d'entre nous respectent?

Par exemple, pourquoi imposer à des adultes de loger dans un noviciat pendant un nombre rigoureux de jours pour se conformer aux exigences du code de droit canonique? Ne s'agirait-il pas d'appliquer ici la maxime: «la loi est faite pour les humains et non les humains pour la loi»? Je connais le cas d'une femme adulte qui a dû quitter une réunion de famille importante parce que le nombre de jours qu'elle pouvait passer «hors du nid» était écoulé. Où veut-on en venir et de quoi cela témoigne-t-il? Pour donner un exemple plus courant et moins extrême, pourquoi voulons-nous bien souvent que les novices soient plus pauvres que nous? Si, par exemple, les nouveaux venus ont besoin de transport, comment se fait-il qu'on leur dise de prendre l'autobus alors que nous nous promenons en voiture pour des distances plus courtes? Pourquoi leur budget, dans certaines communautés, est-il plus petit que celui des profès et souvent fixé par quelqu'un d'autre? Pourquoi doivent-elles perdre du poids pour faire bonne impression alors que nous ne tenons pas notre régime? Pourquoi doivent-elles être évaluées (souvent par nous) alors que notre conduite n'est pas mise en question? Je ne veux pas dire que toutes les exigences ne sont pas raisonnables. Je veux simplement dire que nous devons pratiquer ce que nous prêchons et que nous ne pouvons pas avoir deux poids deux mesures sans de sérieuses conséquences. Le temps des noviciats isolés est révolu. Les adultes remarquent les incohérences et n'en sont pas édifiés.

Temps, confiance et liberté

Il est évident qu'aucune femme aux États-Unis n'a besoin d'entrer en religion aujourd'hui pour améliorer son statut social. Les hommes qui voient le ministère ordonné comme un signe extérieur de prestige peuvent, à l'occasion, chercher à entrer en communauté pour être ordonnés. Mais, en général, les hommes non plus n'ont pas à entrer en religion pour améliorer leur statut social. L'instruction et l'avancement professionnel sont maintenant accessibles à toutes les femmes et sûrement aux hommes. Je ne veux pas dire par là qu'une amélioration du sort de toutes les femmes et des minorités n'est pas justifiée dans la société en général, mais je veux seulement établir le fait que l'appartenance à une communauté religieuse n'y contribuera pas ipso facto. Les hommes et les femmes qui entrent en religion, aux États-Unis comme en d'autres pays de même niveau économique, ne semblent pas le faire pour le statut social. Et même s'ils reconnaissent le ministère comme une des raisons principales pour venir[8], ce n'est pas leur incompétence antérieure dans l'apostolat ni le besoin d'une formation en conséquence par des religieux, mais c'est le désir de *pratiquer le ministère avec d'autres*, unis dans une cause commune (une commune unité qui les attire).

Celles qui viennent se joindre à nous n'ont pas, dans l'ensemble, besoin d'être formées à l'étiquette sociale requise d'une professionnelle, c'est-à-dire bonnes manières et comportement en général. Elles ne sont pas ignorantes et n'ont pas besoin de conseils venant de vieux routiers. Souvent, elles n'ont pas besoin non plus de discernement pour le ministère et il ne sera pas nécessaire de les mettre en contact avec toutes les options

---

.8. Une entrevue avec Donna J. MARKHAM, o.p., Ph.D., «The Decline of Vocations in the United States», *New Catholic World*, (Le déclin des vocations aux États-Unis), 231:1381 (janvier-février 1988, p. 15).

apostoliques que la congrégation peut leur offrir. Plusieurs ont déjà choisi leur ministère et, si ce n'est pas fait, elles sont bien capables de s'informer, d'explorer, de demander des questions. La plupart du temps, elles peuvent d'elles-mêmes, sans faire l'expérience de mini-ministères, chercher les occasions de discernement, pourvu que celles-ci leur soient offertes, comme elles le sont pour la plupart d'entre nous, par le Service des ministères. Elles sont, somme toute, des adultes et c'est sur cette base que nous les avons invitées à se joindre à nous. Des adultes matures posent des questions quand elles ont besoin d'information et ne cherchent pas à faire régler leurs problèmes par d'autres. Elles trouvent pénible de recevoir des réponses à des questions qu'elles n'ont pas encore posées.

Je ne veux pas dire que les hommes et les femmes qui viennent pour discerner s'ils sont faits pour la vie religieuse n'ont pas besoin de conseil et d'aide. Je ne veux que proposer que nous devons tous respecter leur droit de les chercher et leur donner l'occasion de le faire à leur rythme. Le Messie est aussi parmi eux. Les forcer à découvrir, même si on est sûr que c'est pour leur bien, violente le processus d'émergence. Il va sans dire que cette manière de faire peut frustrer certaines d'entre nous. La différence entre le mode de fonctionner issu du dualisme et la façon personnelle d'entrer en relation avec les autres qui découle d'une attitude holistique, réside précisément dans la capacité d'attendre et de ne rien forcer. Il me semble que les plus grandes frustrations dans notre vie de communauté se situent précisément dans nos efforts pour nous refaire l'une l'autre à notre propre image et ressemblance. Pour beaucoup d'entre nous, la partie la plus ardue de la vie de communauté et peut-être une des bonnes raisons d'investir du temps pour se connaître l'une l'autre, c'est d'apprendre à être détachée et d'être assez confiante pour laisser faire Dieu, sans toutefois sombrer dans l'indifférence. Il y a ici un équilibre délicat entre le souci et le contrôle, un équilibre qui demande une attention particulière dans notre interaction avec les nouveaux membres.

Le facteur stress

Après sept ans d'expérience avec les nouveaux membres, je me rends compte qu'une bonne partie du malaise éprouvé, dans leurs premières années de vie religieuse, tourne autour des questions de contrôle et des politiques exigeant une grande mobilité. Après l'expérience stressante d'un changement de vie qu'elles ont choisi, le fait que beaucoup de congrégations proposent de nombreux changements dans leurs conditions de vie et dans leurs champs d'apostolat, pendant leurs années de discernement, ne les aide guère. C'est également discutable du point de vue du discernement communautaire. Trop de changements et des contrôles excessifs, en plus de rendre impossible l'établissement de bonnes relations, tendent à faire émerger des tendances régressives même chez l'adulte le plus sain. D'où il s'ensuit que si quelques membres nouveaux semblent montrer des signes de «dysfonctionnement relationnel», ou se retrouver avec des problèmes face à l'autorité, à la sexualité et parfois avec une dépendance «chimique», on peut certainement considérer comme un facteur important le stress auquel nous les soumettons par la surorganisation de leur vie et les déménagements fréquents*.

Dans son ouvrage intitulé *Letting Go of Stress* (Se libérer du stress), le docteur Jackie Schwartz, conseillère en gestion et spé-

---

* Au moment où j'écris ces choses, un nouveau membre d'une grande congrégation internationale me disait que, pendant les huit premières années de sa formation, elle eut à faire ses valises dix-huit fois. Elle était sur le point de perdre tout désir de s'impliquer dans la communauté, toute énergie pour établir des liens ou risquer des confrontations. Elle n'avait tout simplement pas le temps de connaître les personnes en profondeur.

221

cialiste en thérapie familiale, cite des facteurs du stress menant jusqu'à la maladie. J'en ai compté plusieurs qui s'appliquent aux personnes entrant en religion. Les plus marquants sont les changements de résidence, de grands changements dans les activités sociales, dans les tâches et les responsabilités du travail, dans les conditions de vie (la vie en groupe, le climat), les révisions des habitudes personnelles (l'habit, les comportements, les associations personnelles, les attentes culturelles, le régime alimentaire), les changements dans le nombre de réunions de famille, et d'autres[9]. Citant Lisa F. Berkman et S. Leonard Syme qui ont étudié le stress pendant neuf ans, Schwartz insiste sur la nécessité d'un groupe de soutien adéquat pour maintenir une personne en santé:

> Chaque fois que j'ai rencontré des cas de rupture des relations sociales, j'ai trouvé des signes de mauvaise santé. Et l'éventail des effets sur la santé est très vaste. Par exemple, des gens qui voient leurs rapports sociaux interrompus font preuve de plus de dépression, de mécontentement et de perte de morale [...] Ils manifestent des taux plus élevés de morbidité face à des maladies comme la gastro-entérite, les affections de la peau, l'arthrite et les maux de tête[10].

On peut détecter un grand nombre de symptômes indiquant beaucoup de stress chez plusieurs de nos nouveaux membres. Outre l'irritabilité générale, l'hyperexcitation ou la dépression qui sont souvent présentes, on peut également remarquer un comportement impulsif, de l'instabilité émotive, un besoin irrésistible de pleurer, la perte de la joie de vivre, des tensions émotives, le fou rire, l'hypermobilité, la perte de l'appétit ou des

9. Dr. Jackie SCHWARTZ, *Letting Go of Stress*, (L'abandon du stress), New York, Pinnacle Books, 1982, p. 95-97.

10. *Ibid.*, p. 98.

excès de table, une consommation accrue de tabac et même parfois de drogues légales, d'alcool et d'autres substances[11]. Le danger de ne pas reconnaître les symptômes reliés au stress et de les attribuer à des problèmes de personnalité est évident. Au lieu de nous attaquer à la cause du stress, en réduisant les facteurs de stress là où c'est possible et en prévoyant des programmes d'initiation adaptés aux exigences de notre époque et aux besoins des individus, nous plaçons souvent la responsabilité entièrement sur les nouveaux membres et doutons de leur capacité de s'ajuster à des situations sans aucune pertinence et sans rapport avec le discernement à réaliser.

Il se peut que, pour certaines d'entre nous, le stress soit chose à endurer avec le sourire. Le présenter ici comme un facteur significatif à considérer sérieusement dans le discernement des vocations pourra sembler à certains comme une exagération ou une réaction de poule mouillée. *Nous*, nous ne pensions jamais à cela. Ce qui est juste, et pourtant beaucoup d'entre nous pourraient montrer les conséquences d'une telle négligence. Il se peut qu'une plus grande attention au dysfonctionnement relié au stress augmenterait notre compassion pour nous-mêmes et pour les autres, comme notre plaisir de vivre ensemble. Comme le signale Richard M. Stein: «Les experts étudient le stress objectivement depuis plus de quarante ans. Pendant ce temps, les ramifications de la technologie moderne ont fourni de nouvelles sources de stimuli et de stress impensables au début de ces études scientifiques[12].» Les temps ont bien changé. Il faut prendre ce facteur au sérieux si nous voulons être des témoins crédibles de la compassion et de la pitié de Dieu.

---

11. Hans SELYE, m.d., *The Stress of Life*, New York, McGraw-Hill, 1978, p. 174-177, (*Le stress de la vie*, trad. de P. Verdun, Paris, Gallimard, 1962).

12. Richard A. STEIN, m.d., *Personal Strategies for Living with Less Stress* (Des stratégies personnelles pour vivre avec un stress moindre), New York, John Gallagher Communications, 1983, p. 3.

L'attrait pour la prière et la vie de communauté

Il semble raisonnable d'avancer que nos contemporains et contemporaines qui recherchent la vie religieuse sont attirés par la prière et la vie de communauté. Étant des adultes, beaucoup de ces personnes furent probablement attirées par l'une d'entre nous avec qui elles ont partagé la prière et développé des rapports bien personnels. Quand elles viennent vers nous alors, beaucoup de ces nouveaux membres ont déjà l'habitude de la prière et de la vie en communauté. Et, comme nous, elles ne peuvent prier également bien avec tout le monde et, à cause de divergences spirituelles ou théologiques normales, elles ne peuvent peut-être pas prier du tout avec quelques religieuses ou religieux, comme nous d'ailleurs. Comme nous, elles vont chercher une communauté locale compatible. Leur éducation, leur passé, leurs intérêts, leurs besoins ne peuvent être satisfaits également bien dans toutes nos communautés et «l'entraînement» qu'on leur donne ne devrait pas tendre à cet effet. En fait, je me demande si, à l'intérieur du paradigme holistique que nous sommes appelées à embrasser aujourd'hui, nous devrions «entraîner» qui que ce soit. Toute la notion de «formation» est aristotélico-thomiste et ne correspond guère à notre façon de comprendre la personne, qui rejette l'idée de «moule» et de «forme» et favorise plutôt l'émergence des capacités et des puissances intérieures grâce à un environnement et à un soutien convenables. Le terme «noviciat» lui-même fait problème et il est un affront aux personnes que nous désirons attirer. Étymologiquement, il réfère à des non-initiés qui ont besoin d'être dirigés et formés, et non à des hommes et des femmes qui cherchent une communauté pour adultes en tant qu'adultes; il ne réfère pas à des personnes matures attirées vers la communauté à cause d'un appel intérieur à servir, à prier avec d'autres, à partager.

Je suis absolument convaincue que les femmes et les hommes qui veulent cheminer et rompre le pain avec nous dans la vie religieuse n'ont pas besoin de «formation». Comme nous, ces personnes auront besoin de direction spirituelle, et la demanderont. Elles la chercheront parmi nous ou ailleurs chez celles qui leur inspireront confiance et leur permettront de croître vers leur pleine stature. Il se peut bien qu'elles ne s'adressent pas toujours à leur «maîtresse de formation». La politique de recevoir la direction spirituelle d'une personne qui est chargée, par le système, de l'évaluation du sujet n'est pas saine du point de vue administratif et peut causer des dommages tant psychologiques que spirituels. Elle donne prise à la méfiance et à la malhonnêteté.

Comme tout autre adulte, les femmes et les hommes attirés vers une communauté devront être capables de discerner le lieu et le groupe avec qui peut être vécue une expérience de communauté. Il est évident qu'étant nouveaux, ils auront besoin de notre aide et de nos suggestions pour ce faire, et les communautés impliquées devront dialoguer et discerner. Ce dont personne n'a besoin aujourd'hui, c'est d'un milieu orchestré et mis à part pour la «formation». Sans doute, peu de nos communautés actuelles sont idéales. Il faut sûrement y voir, mais on ne peut l'éviter tant qu'on offre des solutions de rafistolage aux problèmes de «formation». Celles qui viennent pour discerner leur appel à la vie religieuse viennent pour se joindre à *nous*. Elles cherchent un style de vie apostolique et communautaire qui soit actif et progressif. Ces personnes s'attendent à rencontrer les femmes et les hommes avec qui elles passeront leur vie. Elles n'ont pas besoin d'une situation pré-programmée qu'elles ne retrouveront plus une fois qu'elles auront prononcé des vœux. Si nous ne pouvons pas les rencontrer là où nous vivons et comme nous vivons, il vaudrait peut-être mieux de ne pas les encourager à se joindre à nous.

De plus, la coutume de faire vivre ensemble tous les nouveaux membres afin de créer des liens entre eux ne tient plus. D'abord, peu de congrégations connaissent un afflux suffisant de nouveaux membres pour former une communauté assez stable pour créer des liens et des relations de façon réaliste. Deuxièmement, ces nouveaux membres viennent probablement de régions et de cultures différentes. Ils peuvent grandement varier en âge et en intérêts. Penser que, parce qu'ils sont tous nouveaux dans la congrégation, ils créeront automatiquement des liens les uns avec les autres et formeront le groupe de soutien, «le clan» que nous avons connu, c'est chercher une chose qui n'a rien de réel pour eux. On ne devrait pas exiger d'eux qu'ils vivent la communauté sans avoir comme nous participé au discernement sur sa composition et sa direction. On ne devrait pas leur demander de former communauté à tout prix dans n'importe quel contexte, particulièrement dans une situation organisée d'avance. On ne devrait pas s'attendre, en un mot, à ce qu'ils supportent tout avec le sourire.

À moins d'encourager, dès le début, un modèle d'interaction entre adultes, il ne faut pas s'attendre à un comportement d'adultes. C'est tout un défi pour nous qui nous débattons avec les réels problèmes de communauté examinés au chapitre quatrième. Faire face au problème de l'intégration de nouveaux membres au cœur de notre monde brisé est certes difficile, mais on ne peut plus le balayer du revers de la main ou le confier à quelques directrices ou directeurs de formation bien entraînés. Si nous voulons accroître nos effectifs, nous aurons tous à passer par la conversion qui nous est demandée. C'est dire qu'il faut ouvrir non seulement nos maisons mais surtout nos cœurs à ceux et celles qui demandent l'incorporation. Car ils ne frapperont pas toujours aux portes de nos amitiés déjà nouées pour s'y faire admettre. Ils ont le désir d'être avec nous, de vivre avec nous, de souffrir et de célébrer avec nous, de poursuivre avec nous leur cheminement avec son histoire, ses échecs et son avenir, et d'être là aussi, présents à notre cheminement. Mais on ne peut leur demander tout cela dans le vide que nous laissons pour nous adonner à nos bonnes vieilles amitiés, toutes les fins de semaine et jour après jour. Nous devons les inclure dans la vie réelle de nos communautés. Nous n'avons pas de tour d'ivoire à leur offrir. Nous devons leur offrir honnêtement ce que nous sommes: un groupe de femmes ou d'hommes qui luttent, qui aiment et qui les invitent à faire partie du groupe pour cheminer ensemble vers la maison du Père, pour servir et pour être servis, pour aider et pour être aidés.

Comme je l'ai déjà dit, les hommes ou les femmes qui viennent se joindre à nous aujourd'hui sont les produits de notre temps. Ils voudront expérimenter avec nous divers moyens d'être de vrais amoureux du règne de Dieu. L'affection entre célibataires qui va à contre-courant de la culture actuelle sera nouvelle pour beaucoup d'entre eux. Nous pourrons partager nos rêves et notre vision avec eux. De leur côté, ils peuvent apporter une nouvelle énergie, une nouvelle espérance à nos cœurs fatigués. Leurs expériences de vie, très différentes des nôtres surtout si nous sommes entrés jeunes, peuvent nous être d'un grand secours. Leur style de confrontation, de communication et d'interaction nous aidera à explorer de nouvelles manières de créer des liens les uns avec les autres. Nous pourrons apprendre d'eux beaucoup de choses, non seulement de leurs expériences, mais aussi au sujet de nous-mêmes, de notre charisme, de notre capacité d'apprendre, de partager. En retour, nous les invitons à apprendre; ces personnes viennent donc sur invitation, elles ne sont pas programmées. Notre interaction avec elles devrait être mutuelle et toujours ouverte. Nous les invitons à cheminer avec nous en partageant la responsabilité de tendre vers notre charisme, ce message chrétien vécu de façon particulière dans un milieu communautaire. Leur communion avec nous découle de nos groupes communautaires déjà existants, qu'elles ont fréquentés. Elle ne vient pas de sessions stéréotypées avec d'autres jeunes professes ou de journées d'études que toutes doivent suivre parce que nous décidons que cela leur fera du bien.

Une incorporation organique

Des adultes qui réagissent de façon adulte à une communauté d'adultes peuvent vouloir s'engager de façon variée: pour quelques années, pour une année à la fois, pour toujours, ou simplement comme membres associés. Il existe même plusieurs possibilités dans ce dernier cas, de celles qui vivent avec nous à celles qui viennent prier avec nous. Elles peuvent se lier à nous pour l'apostolat seulement ou vivre avec nous tout en travaillant à des tâches que certaines congrégations considèrent toujours comme séculières. Leur discernement avec nous devrait prendre la forme d'un dialogue ouvert où rien n'est décidé une fois pour toutes, dans l'esprit d'une relation mature où l'on considère et respecte les besoins de chacun.

Une incorporation orientée vers la diversité doit être «organique» plutôt qu'institutionnelle. Je parle d'un attrait naturel plutôt que formel: des adultes attirées vers une communauté locale particulière se font inviter à vivre avec elle. Dans ce groupe, elles prient, partagent les ressources et font leur discernement tout en étant déjà participantes. Elles se rapprochent du groupe plus grand au gré de l'Esprit: lentement, par des visites à la maison provinciale ou régionale, en participant à des assemblées ou à des congrès. Elles dépassent les frontières de la communauté locale lorsque le besoin s'en fait sentir et que l'indique un discernement commun. La communauté, c'est-à-dire tous les membres, fait l'évaluation de l'état de cette communauté, et non seulement du nouveau membre. Tous reconnaissent que l'Esprit fait don à chaque membre d'aperçus différents sur l'ensemble.

L'incorporation organique suppose que les femmes ou les hommes intéressés à notre style de vie soient simplement invités à être ce qu'ils sont parmi les femmes ou les hommes que nous sommes, avec tous les risques que la croissance ensemble comporte. Sans doute, auront-ils besoin d'une sœur ou d'un frère de liaison, quelqu'un qui chemine avec eux ou elles et qui leur fait connaître notre histoire. La congrégation, pour sa part, aura besoin d'une personne entraînée à la coordination de divers modes d'appartenance, afin de rendre les ressources disponibles et d'offrir du soutien. Surtout, nous aurons besoin de personnes qui faciliteront la vie de communauté: des personnes habilitées à aider les communautés locales dans les interactions personnelles, les conflits, les objectifs à fixer, les évaluations. Nous aurons besoin de ces personnes pour nous aider tous et toutes à prendre conscience des exigences d'intimité qui commencent à se faire jour parmi nous maintenant que la manière plus professionnelle de traiter les ministères diversifiés nous a aidés à dépasser notre crise d'identité pour nous préoccuper du besoin de relations profondes et de fécondité.

Nous le savons tous, il y a déjà assez de névroses et de dysfonctionnement parmi nous; nous n'avons pas besoin d'en recevoir d'autres. Pour prévenir cela, la vision de l'incorporation organique que je propose ici demandera beaucoup de réflexion et de prière. Elle exigera aussi de la générosité et une volonté de risquer. Elle ne nous gardera pas des faux pas, pas plus que le modèle de «formation» suivi dans la plupart des congrégations jusqu'à présent.

J'ai fait l'expérience de la résistance et de l'enthousiasme que cette nouvelle vision de l'accroissement a provoqué dans divers groupes à qui je l'ai présentée. L'enthousiasme venait souvent d'hommes et de femmes qui s'occupent de formation, mais aussi de gens qui connaissaient des personnes intéressées à la vie religieuse mais qui les considéraient trop évoluées pour les procédures actuelles d'incorporation dans la plupart des communautés religieuses. Ils hésitaient même à recommander leur propre congrégation à ces individus. L'attitude positive est souvent venue de religieuses et de religieux œuvrant loin de la maison mère, loin de l'ensemble de leur congrégation. Pour ces personnes, l'association avec d'autres femmes ou hommes fait déjà partie de leur système de soutien. Elles trouvent précieuses ces interactions plus mûres et accueilleraient avec joie des façons plus organiques de relier leurs connaissances à leur congrégation.

Parmi les réactions négatives, on trouve le manque de confiance dans sa capacité de traiter avec des nouveaux membres et le désir de laisser cela aux experts. Certains m'ont fait remarquer que les nouveaux ne sont pas toujours aussi matures que je le prétends. Je m'empresse de dire que nous ne le sommes pas non plus et que la maturité que nous cherchons à acquérir est désirée par tous. L'approche organique présente des risques; elle fait fi des vieilles méthodes bien rodées, articulées pour avancer pas à pas et aboutir éventuellement à un processus d'incorporation. Elle peut donc nous inquiéter, car elle ne nous garantit pas que «le boulot sera bien fait». Par exemple, il est difficile de mesurer la connaissance des vœux lorsque le discernement est individualisé et s'étend sur plusieurs années; lorsque le «religieux» apparaît peu à peu dans chaque nouveau membre et marque la congrégation du sceau de son originalité. Il peut être difficile et parfois déroutant pour quelques-uns parmi nous de constater que, dans la réalité vécue par les nouveaux membres, les vœux ne sont pas des entités que nous «faisons» une fois pour toutes, à un moment donné. Nous nous engageons pour toujours, mais la substance de notre engagement s'approfondit et peut vraiment changer à mesure que la vie nous apprend la réalité de nos promesses. Cela est vrai pour nous tous, et pas seulement pour les nouveaux membres. Lorsqu'on est formé selon un modèle dualiste, comme beaucoup d'entre nous l'ont été avant Vatican II, on continue de s'attendre à des engagements clos et mesurables. Il est dur d'accepter que peu d'entre nous savons pleinement à quoi nous nous engageons quand nous faisons profession; que notre engagement consiste à nous livrer au mystère; que, d'un point de vue organique, même le jour de la profession perpétuelle, nous ne percevons qu'une lueur de ce qui nous attend.

Nous passons la plus grande partie de notre vie à faire l'expérience des vœux, modifiant à plusieurs reprises nos motivations, dans l'espoir d'aller vers toujours plus de profondeur. Nous sommes tous «un risque». L'intensité de la vie consacrée repose dans un désir toujours grandissant. Une connaissance précise, et l'habilité pour l'exprimer, sont vraiment secondaires. Le fait de ressentir ce désir en toute humilité est une grâce; par contre, tenter d'en parler peut être une entreprise très périlleuse. Je me rends compte qu'aller vers des modes organiques d'incorporation est plus vite dit que fait. En ressentir la nécessité à l'intérieur de nous est une chose; être sensible à sa réalisation progressive dans nos nouveaux membres, c'est une toute autre affaire. Il faut surtout la compassion, la patience, un amour fraternel qui, plus que tout autre chose, connaît le pouvoir du détachement. Il s'agit d'obéir avec persistance à sa propre intégrité, d'acquérir le savoir du «rabbin qui se promenait dans les bois».

Ce que nous avons à offrir est précieux, et comme tout ce qui est précieux, il faut le traiter avec douceur, les mains ouvertes, dans l'accueil et la confiance, l'offrant aux autres dans un esprit de partage plutôt que de don, sinon il se brisera ou sera perdu. Notre confiance et notre accueil entraîneront des souffrances, comme ils l'ont fait pour nos fondatrices et fondateurs, mais il apportèrent aussi la sainteté, l'intégralité. Ils attirèrent des hommes et des femmes de vision; il s'ensuivit un accroissement.

Questions de mise au point, de réflexion, de discussion

1. «Nous racontons des histoires afin de vivre.» Comment le message du rabbin peut-il donner vie aux congrégations religieuses?

2. La méditation de Teilhard de Chardin sur la mort a-t-elle un sens pour la vie religieuse telle que vous la voyez? Comme congrégation, avons-nous besoin d'être «évidées» pour faire de la place pour Dieu?

3. Éprouvez-vous de la résistance au détachement requis pour une nouvelle vie? Comme congrégations, envisageons-nous de façon réaliste la possibilité de la mort? Sommes-nous au «désert du manque»?

4. Quelles sont votre attitude et vos attentes à l'égard des nouveaux membres de votre congrégation? Êtes-vous prêtes à partager votre vie en communauté avec elles?

5. D'après vous, quelles sont les raisons qui font que «nous les attirons mais ne pouvons les garder»?

6. Qu'est-ce que la vie religieuse a à offrir aujourd'hui? Pour quelle raison une personne voudrait-elle se joindre à votre congrégation? Quel modèle de vie aimeriez-vous vivre et proposer aux nouveaux membres?

7. Êtes-vous d'accord que «les plus grandes frustrations dans notre vie de communauté se situent précisément dans nos efforts pour nous refaire l'une l'autre à notre propre image et ressemblance»? Avons-nous la même attitude à l'égard des nouveaux membres?

8. Quelle est la distinction entre «être détaché» pour «laisser faire Dieu» et l'indifférence?

9. Pouvez-vous mettre le doigt sur des facteurs de stress dans la vie des nouveaux membres? Quelles solutions entrevoyez-vous au poids de stress qu'ils connaissent?

10. «Si nous voulons accroître nos effectifs, nous aurons tous à payer par la conversion qui nous est demandée. C'est dire qu'il faut ouvrir non seulement nos maisons mais surtout nos cœurs à ceux et celles qui demandent l'incorporation.» Comment réagissez-vous à cette remarque?

11. Comment réagissez-vous aux divers modes d'appartenance suggérés dans ce chapitre? Quelle a été la ligne d'action de votre congrégation sur ce point jusqu'à présent?

12. Qu'ajouteriez-vous à ce qui a été dit sur «l'incorporation organique»? Est-ce pratique? Risqué? Vaut-il la peine de l'essayer?

Épilogue

Comme j'étais sur le point de terminer ces réflexions, une liste de questions et de préoccupations me fut envoyée par les membres d'une importante congrégation religieuse pour m'aider à préparer mon intervention à leur assemblée annuelle. Plusieurs sont particulièrement importantes pour nous aujourd'hui.

— Je pense que la vie religieuse est morte. La vie de communauté que nous avons connue et que nous persistons à vivre et à structurer ne fonctionne plus. Pouvons-nous commencer à en parler et arriver à orienter l'avenir plutôt que de nous laisser façonner par lui en ne faisant rien?

— Quand nous mettrons-nous à discuter sans peur de notre vision de l'avenir?

— Pourquoi demeurons-nous en communauté? Quels sont nos rêves? Comment faisons-nous communauté?

— Notre première préoccupation doit être comment nous *vivons* ensemble et comment nous *sommes* ensemble.

Ces questions ne sont pas nouvelles. Quelques-unes parmi nous les gardent doucement dans leur cœur; d'autres, avec plus d'audace, veulent les aborder en assemblée annuelle; tout le monde les pose. Il y a beaucoup de tristesse dans plusieurs de ces

235

questions, parfois même du désespoir. Ce sont les questions du
«point tournant», de la crise de notre genre de vie. Les solutions
à ces difficultés ne nous arriveront pas dans des formules bien
nettes ou dans la reformulation des constitutions, plusieurs d'entre nous ayant déjà mis beaucoup de temps en vain à y travailler.
D'une certaine façon, et c'est encourageant, la réponse se fait
déjà jour dans le fait de poser la question. L'aube d'une vision se
trouve dans la prise de conscience et la reconnaissance dans le
fait de s'exposer résolument aux ténèbres et à la sécheresse,
comme le faiseur de pluie malgré la souffrance impliquée.

Il faut se rappeler, toutefois, que la vision, quand elle
pointe, n'est pas notre œuvre. (Le faiseur de pluie ne fit rien. Il
se soumit simplement au Tao.) La vision véritable est un don.
Quand la grâce nous arrive, nous ne faisons pas l'expérience de
«voir» mais plutôt «d'être vus», attirés, entraînés vers les profondeurs. Nos réponses viendront alors de ces profondeurs. Le dé-
bat autour des formules, des décrets et des résolutions bien tour-
nées concernant notre vie et notre mission, malgré leur importance, restera secondaire, car notre action viendra d'une rencontre intérieure avec le moi profond et, par lui, avec toute l'humanité.

Pour les activistes parmi nous, l'invitation à l'attente créatrice, à la veille paisible et à l'abandon passionné peut sembler de
l'inaction ou du quiétisme. Lorsque Paul disait aux Romains
(8,25) que «espérer ce que nous ne voyons pas, c'est l'attendre
avec constance», il ne leur recommandait pas la passivité, mais
les exhortait à reconnaître leurs propres limites, tout en travaillant à établir le règne de Dieu, à prendre conscience d'un
pouvoir supérieur et de s'y soumettre. L'invitation de Rahner,
citée au chapitre 2, me revient à l'esprit:

Laissez aux réalités plus profondes de l'esprit une chance de
monter à la surface: le silence, la peur, le désir ineffable de

vérité, d'amour, de communion, de Dieu. Affrontez l'isolement, la peur, la mort imminente! Laissez ces expériences humaines fondamentales occuper la première place. *N'en parlez pas, n'élaborez pas de théories à leur propos, portez simplement ces expériences fondamentales* [1].

La vie religieuse se trouve aujourd'hui en crise. Le moment est donc venu de se retirer au dedans, autant ensemble que seul, et de faire face aux questions en profondeur sur notre vie consacrée et «de se remettre au Tao» de telle sorte que la pluie revienne. Avant d'en faire davantage, il faut être, faire face aux ténèbres et les endurer. Les pages précédentes ont tenté de nous y aider, d'éclairer les problèmes et de suggérer ce qui est possible sans donner toutes les solutions, de nous inviter tous à continuer de poser des questions, d'explorer et de risquer. Comme nous le savons, les crises ne sont pas résolues. Elles se résoudront en leur temps, au temps de Dieu. À nous la tâche d'écouter humblement sans cesser d'attendre avec passion et créativité «la grâce d'une meilleure aurore» (M. Heidegger).

---

1. Frederick FRANCK, *Messenger of the Heart*, New York, Crossroad, 1976, p. 53.

Table des matières

Achevé d'imprimer
en juillet 1993 sur les presses
des Ateliers graphiques Marc Veilleux Inc.
Cap-Saint-Ignace, Qué.